CW00664159

# La Ruta de la Seda

*Una guía fascinante de la antigua red de rutas comerciales establecidas durante la dinastía Han de China y cómo conectaba el este y el oeste*

# Tabla de contenido

INTRODUCCIÓN ........................................................................1

CAPÍTULO 1 - ROMA, LA SEDA Y LA GEOGRAFÍA ANTIGUA..................8

CAPÍTULO 2 - LA PRODUCCIÓN Y EL COMERCIO DE LA SEDA
HAN ........................................................................................13

CAPÍTULO 3 - EL REINO DE LOULAN ..................................18

CAPÍTULO 4 - LOS BUDISTAS A LO LARGO DE LA RUTA
DE LA SEDA ............................................................................23

CAPÍTULO 5 - TURFÁN: UN OASIS EN LA RUTA DE LA SEDA.............28

CAPÍTULO 6 - LA LEYENDA DEL PRESTE JUAN ......................33

CAPÍTULO 7 - GENGIS KAN, GOBERNADOR DE TODO
EL MUNDO..............................................................................37

CAPÍTULO 8 - EL SEÑOR DE XANADÚ, KUBLAI KAN:
EL EMPERADOR DE CHINA ....................................................51

CAPÍTULO 9 - MARCO POLO VISITA LA CHINA DE KUBLAI KAN.......68

CAPÍTULO 10 - LOS ÚLTIMOS AÑOS DE KUBLAI KAN ..........82

CONCLUSIÓN: LA DISMINUCIÓN DEL COMERCIO A LO
LARGO DE LA RUTA DE LA SEDA............................................95

VEA MÁS LIBROS ESCRITOS POR CAPTIVATING HISTORY .............99

LECTURAS ADICIONALES ......................................................100

# Introducción

El comercio de bienes lleva necesariamente consigo el comercio de ideas. En otras palabras, las ideas se apoyan en la transmisión de bienes mercantiles. Es a través de este medio que las religiones, los conceptos de organización de las sociedades, el arte y la cultura material son transmitidas de una sociedad a otra.

El desarrollo de las civilizaciones y el enriquecimiento de las diferentes culturas dependen del comercio entre ellas. Sin el comercio y la transferencia de ideas, sin que las culturas vibrantes que se distinguen por la religión y la tecnología se encuentren entre sí en el mercado, las civilizaciones se fosilizan y finalmente decaen. En algunos casos, pueden incluso desaparecer. El impulso de lo nuevo es lo que mantiene la robusta evolución de las civilizaciones y culturas. Sin las nuevas ideas que interfieren, las civilizaciones y culturas son incapaces de adaptarse a los cambios y pierden su vitalidad en un mundo siempre cambiante.

Las civilizaciones europeas y asiáticas, en particular la de China, desde aproximadamente el año 100 a. C. hasta 1450 d. C., dependieron de las interconexiones a través del comercio para evolucionar. Este comercio se llevó a cabo a lo largo de lo que se conoce como la Ruta de la Seda.

La Ruta de la Seda, transformadora para las culturas y civilizaciones asiáticas y europeas, debe su nombre e identidad a los estudiosos modernos, entre los que se encuentran arqueólogos, lingüistas, economistas, geógrafos e historiadores. Lo que hoy en día llamamos la Ruta de la Seda fue en realidad nombrada por el explorador alemán Ferdinand Von Richthofen en 1877. Él identificó la Ruta de la Seda (Seidenstrasse) como una ruta terrestre continua a lo largo de la cual se realizaba el comercio, comenzando en la época de la Roma imperial y la dinastía Han en China (206 a. C. - 220 d. C.).

Los viajes y descubrimientos de Von Richthofen, así como sus lecturas de los textos del siglo II del geógrafo griego Ptolomeo y los escritos del siglo I del romano Plinio el Viejo, le convencieron de que había una vez un camino definido desde el Cercano Oriente hasta la China central por el que se transportaba la seda. Según von Richthofen, la seda era el principal bien de lujo.

El estudiante de Von Richthofen, el geógrafo sueco Sven Hedin, emprendió cuatro expediciones a Asia Central a finales del siglo XIX y principios del XX, cartografiando y observando las culturas de los diversos pueblos que encontró por el camino. Sus descubrimientos confirmaron en gran medida la noción de que existía una Ruta de la Seda y de que el comercio entre Oriente y Occidente se había realizado durante siglos en un pasado lejano. Hedin informó sobre sus viajes por Asia Central en informes técnicos multivolumen. Resumió sus investigaciones en un libro más popular que hizo su trabajo más accesible al público en general. Este libro, publicado por primera vez en sueco en 1936 y traducido al inglés en 1938 con el título *La Ruta de la Seda*, inauguró lo que se convertiría en una fascinación mundial por el tema, una fascinación que aún persiste hoy en día. Sven Hedin identificó a Chang'an (en la actualidad Xi'an), la capital de la dinastía Han, como el extremo oriental de la Ruta de la Seda, que según él terminaba en el oeste a unos 7.000 kilómetros de distancia en Antioquía, Siria.

La idea de la Ruta de la Seda ha capturado la imaginación del público desde los días de Von Richthofen y Hedin. A partir de la década de 1960, hubo un aluvión de libros, tanto académicos como populares, publicados sobre el tema. La apertura de China a la investigación arqueológica por parte de estudiosos no chinos a finales de los años 70, aumentó el entusiasmo del público también en Occidente. Con la introducción de prohibiciones contra el saqueo de los sitios arqueológicos, algo que en el pasado había llevado a la dispersión de los tesoros artísticos y culturales de China y Asia Central a los museos europeos y americanos, los que estaban encantados con la idea de la Ruta de la Seda comenzaron a viajar a ciudades y pueblos anteriormente fuera de los límites de lo que se conocía popularmente como la Ruta de la Seda. El interés por la ruta comercial entre Oriente y Occidente aumentó con la disolución de la Unión Soviética en 1991, ya que abrió más sitios de la Ruta de la Seda en Asia Central para el estudio y la exploración por parte de turistas y estudiosos. Desde entonces, toda la empresa de estudio y explotación de sitios a lo largo de la Ruta de la Seda se ha visto atrapada en la política de tender puentes entre las historias de las civilizaciones orientales y occidentales. La noción de conectar las culturas de Oriente y Occidente se ha convertido en un tema común en los estudios contemporáneos de la Ruta de la Seda. En los últimos años, el enfoque eurocéntrico de la historia del mundo ha comenzado a desmoronarse a medida que más y más estudiosos de todas las regiones de Asia han promovido una comprensión no eurocéntrica más amplia de las historias de las naciones y culturas que antes eran de poco interés en Occidente.

La idea de que los bienes exóticos de Oriente, principalmente la seda, se transportaban a miles de kilómetros a través de desiertos y montañas en largos trenes de camellos, por muy pintorescos y románticos que fueran, ha resultado ser falsa. Con la creciente sofisticación de la arqueología y la interpretación de los textos antiguos por parte de los estudiosos de Oriente y Occidente, ha surgido una imagen mucho más complicada de la Ruta de la Seda.

Ahora está claro que la Ruta de la Seda no era una vía única y distintiva de comercio sino más bien una compleja serie de caminos que conectaban las pequeñas comunidades y los grandes asentamientos urbanos de Asia Central. A lo largo de estos caminos, los objetos de comercio eran movidos por pequeñas caravanas. Así que, en contra de la creencia popular, los comerciantes no recorrían grandes distancias. Los objetos de Oriente y Occidente se entregaban de un intermediario a otro. Algunas mercancías se desplazaban desde el centro de China hasta Roma, y más tarde hasta la Europa medieval, pero la mayor parte del comercio era local, teniendo lugar entre culturas o pueblos adyacentes. La variedad de mercancías que se desplazaban a corta y larga distancia de Oriente a Occidente o viceversa eran mucho más mundanas que la seda que se creía tan apreciada en Occidente. Sin embargo, algo que no era tan mundano era la transmisión de ideas a lo largo de las rutas comerciales que componían la Ruta de la Seda. Fue a lo largo de este surtido de caminos que las religiones, como el budismo, el islam y el cristianismo, hicieron incursiones entre las poblaciones de Asia Central y eventualmente China.

El enorme interés en la Ruta de la Seda ha generado un animado debate entre los investigadores, cuyo número ha aumentado exponencialmente con las contribuciones de los académicos chinos y los investigadores de las naciones modernas a lo largo de las rutas comerciales entre Oriente y Occidente. La globalización de la labor académica sobre la Ruta de la Seda se ejemplifica con el establecimiento de centros internacionales de investigación cooperativa, como el Instituto de Estudios de la Ruta de la Seda en Kamakura (Japón), fundado en 1990; el Instituto Asia-Cáucaso Central (Central Asia-Caucasus Institute) y el Programa de Estudios de la Ruta de la Seda, fundados en Washington en 1996; y el Centro Tang de Estudios de la Ruta de la Seda de la Universidad de California, establecido en 2017. Entre los documentos de investigación que se publican actualmente sobre el tema en estos y otros centros de investigación, hay una notable abundancia de artículos académicos que cuestionan la existencia de la Ruta de la Seda. Incluso se ha llamado "una decepción romántica" y "la ruta que nunca existió".

El concepto de una singular Ruta de la Seda ha sido objeto de revisión, y ahora se cuestiona si el comercio entre Oriente y Occidente desde la época romana hasta el siglo XV implicaba mucha seda. Además, la noción de una sola ruta ha sido reemplazada por la identificación de una multiplicidad de rutas, que son más exactamente llamadas caminos que carreteras. Hay un gran debate sobre qué rutas comerciales incluir bajo el paraguas del término "Ruta de la Seda". Algunos estudiosos son partidarios de añadir las rutas marítimas entre el sur de Asia y Occidente, y otros concluyen que la ruta comercial de la India a través de la cordillera del Karakoram en las fronteras de Pakistán, India y China no puede excluirse de los estudios sobre la Ruta de la Seda. Varios estudiosos contemporáneos también han propuesto que las rutas marítimas y terrestres que conectan África con Oriente pertenecen al ámbito de los estudios de la Ruta de la Seda.

La Ruta de la Seda, que ha sido entendida como una ruta comercial generalizada entre Oriente y Occidente, se diferencia de las rutas comerciales europeas, norteafricanas y del Cercano Oriente porque hasta hace poco se entendía que era únicamente una ruta terrestre; de hecho, se creía que era la ruta comercial terrestre más larga de la historia de la humanidad. Desde la época prerromana hasta la Edad del Ferrocarril en Europa, la mayor parte del comercio dentro de Europa se realizaba por mares o ríos. El comercio del norte al sur se vio facilitado por la existencia de los largos ríos navegables de Europa, como el Danubio, el Rin y el Volga, o por el mar desde el Mediterráneo a través del océano Atlántico hasta el mar del Norte y luego el Báltico. El comercio europeo con África del Norte y el Cercano Oriente dependía casi enteramente de las rutas del mar Mediterráneo. El comercio con la India y más allá en el sudeste asiático implicaba un corto transporte por tierra a los centros donde las mercancías se transferían a los barcos que navegaban por el océano Índico. En contraste con esto estaba la Ruta de la Seda, donde vastas extensiones de tierra, a menudo inhóspitas, se encontraban entre los centros de comercio. Por esta razón, ha capturado la imaginación de los estudiantes de historia, geografía y la transmisión de la cultura.

Dado que la Ruta de la Seda no era un único camino desde China hasta el Cercano Oriente, sino que consistía en una red de rutas conectadas más cortas, las complejidades del terreno y las culturas a lo largo de las rutas plantean mayores problemas para comprender su historia que las rutas comerciales que implicaban el transporte marítimo de larga distancia. Los puertos del Cercano Oriente y el Mediterráneo están, en línea recta, a 8.500 kilómetros de distancia de Xi'an, la antigua capital de China. La complicada topografía de Asia Central requería que los comerciantes se desviaran alrededor de cordilleras intransitables y atravesaran desiertos de un oasis a otro, así como que se enfrentaran a las perturbaciones debidas a las guerras entre tribus y protoestados. Todo esto haría que la distancia total entre Oriente y Occidente fuera mucho mayor.

Las rutas del comercio entre Oriente y Occidente eran tales que abarcaban una amplia gama de pueblos o culturas que habitaban el Asia Central. Estos pueblos vivían en las naciones modernas de China, Kirguistán, Tayikistán, Kazajstán, Uzbekistán, Turkmenistán, Afganistán, Irán e Irak. A lo largo de la historia de la Ruta de la Seda, las culturas que participaron en el movimiento de mercancías a través de Asia Central cambiaron, ya que fueron objeto de invasiones por tribus nómadas desplazadas y de conquistas por potencias imperiales superiores. Así pues, la complicada historia de la Ruta de la Seda incluye la historia de los pueblos y la geografía, que es mejor comprendida por los estudiosos locales y, en la mayoría de los casos, está completamente fuera del conocimiento de otros fuera de la región. En efecto, la comprensión de la Ruta de la Seda entre los europeos es casi tan nebulosa como la comprensión de los romanos de lo que había en el Este más allá de las fronteras de su imperio.

Para los europeos desde la época romana hasta el siglo XV y más allá, existía una fascinación por las culturas y productos exóticos y desconocidos de Oriente. Por las pruebas disponibles, parece que no había una fascinación equivalente por la cultura occidental entre los chinos. En su mayor parte, los chinos miraban a Occidente, Asia Central y más tarde hasta el Cercano Oriente y Europa como un simple mercado de mercancías o, en resumen, como una fuente de riqueza.

El interés europeo en el Este se remonta a la notable expansión del Imperio griego helenístico bajo Alejandro Magno. Sus incursiones militares en Asia, a través de Persia y el actual Afganistán, hasta las orillas del río Indo, se convirtieron en materia de leyenda, y llevó a los europeos a imaginar la magnificencia de las misteriosas civilizaciones orientales. Al expandir su imperio a Oriente, Alejandro plantó puestos de avanzada de la cultura griega. Estos puestos de avanzada o guarniciones se convirtieron en centros de transmisión de ideas y bienes de las culturas orientales en los antiguos mundos griego y romano y viceversa. La importancia de estos puestos de avanzada para la transmisión de la cultura está representada por la existencia de obras de arte antiguas hechas localmente, excavadas en Irán, Irak y Afganistán, que están estilísticamente relacionadas con el arte helenístico del mundo macedonio de Alejandro Magno.

La historia de la Ruta de la Seda es extremadamente compleja. No puede ser contada como una narración cronológica singular. Diferentes culturas y sociedades se levantaron y desaparecieron a lo largo de la Ruta de la Seda, y los pueblos emigraron de una región a otra. En resumen, durante la mayor parte de su historia, hubo fluidez en cuanto a las culturas dominantes a lo largo de la ruta o rutas. Explicar el surgimiento y caída o desaparición de estas culturas implica detenerse en el camino para considerar la cronología de sus historias.

# Capítulo 1 - Roma, la seda y la geografía antigua

El establecimiento del primer término occidental de la Ruta de la Seda se ha basado en la suposición de que la seda china estaba entre los principales lujos consumidos por los romanos ricos. Se ha pensado que, en la época de la república romana tardía, que terminó en el 27 a. C., la seda china pasaba por los comerciantes del Imperio parto para ser consumida por los patricios romanos. Sin embargo, se ha demostrado de manera convincente que la seda disponible en los mercados romanos, que duró hasta bien entrado el período imperial, se tejía en el Asia occidental, concretamente en Damasco y Mosul. Esto ha quedado demostrado por el análisis del hilo; es claramente del tipo producido por las especies de gusanos de seda que se criaron en el Asia occidental y central.

Muchas personas pueden no darse cuenta de que la seda se produce de diferentes maneras, y como se pensaba que la seda era el artículo más popular en la Ruta de la Seda, vale la pena profundizar en las diferentes formas en que se producía la seda. También hubo una fuente de seda en el subcontinente indio, donde el tejido se había producido desde alrededor del 2500 a. C. La seda producida en la India y en la isla egea de Cos en el siglo I, así como antes, se hacía con capullos que eran evacuados naturalmente por las polillas. El hilo de seda era entonces raspado de los capullos. En China, sin embargo, el método de producción del hilo era diferente. Ya en el 4000 a. C., la polilla de la seda fue domesticada en China. Aquí, los capullos eran hervidos con las pupas dentro. Largas hebras de hilo de seda se sacaban de los capullos húmedos y luego se tejían en telas.

Los romanos llamaron a los productores de seda el pueblo de Seres, una designación derivada del antiguo nombre de Sérica, que era uno de los países más orientales conocidos por los antiguos griegos y romanos. Esto no significa, como los primeros escritores de la Ruta de la Seda han asumido, lo que es la China en la actualidad. Simplemente se refería a los orígenes de la seda que se usaba en Roma. *El Periplo del mar Eritreo*, una guía marítima en griego escrita en el siglo I, describe los puertos del mar Rojo, África, el golfo Pérsico y la India, así como menciona tierras más allá del mundo conocido. "En algún lugar de la franja exterior, hay una gran ciudad interior llamada Thina [o Sinae] desde la que se envía por tierra el hilo de seda, la lana y la tela... y a través del río Ganges". El autor anónimo dijo, "No es fácil llegar a esta Thina: porque rara vez la gente viene de ella". Esta representación de Thina se basó en la información que el escritor recibió de los comerciantes indios.

Más información sobre el consumo romano de seda está disponible en los escritos de Plinio el Viejo, que vivió del 23 al 70 d. C. Él estaba confundido acerca del método en el cual la seda era producida. Pensó que estaba hecha de la capa blanquecina que se adhería a las hojas. Esta capa, pensó incorrectamente, fue raspada para hacer hilo de seda. Esta descripción es más cercana a la producción de algodón que a la de seda. Plinio, en otro pasaje, señaló que la seda que usaban las mujeres romanas era difícil de fabricar y provenía de una tierra lejana. Se opuso a ella porque permitía "a la matrona romana lucir en público vestidos transparentes".

Debido a que es difícil identificar la fuente del hilo de seda, no está del todo claro dónde se originaron todos los fragmentos supervivientes de las prendas de seda romanas. Los motivos decorativos que se tejieron en la tela, cuando parecen ser de origen chino, pueden ser en cambio copias indias de diseños chinos. La forma más segura de probar que una tela encontrada en Occidente vino de China es la presencia de caracteres chinos tejidos en la tela. Los tejidos desenterrados en Palmira, Siria, son las primeras telas chinas, con caracteres chinos decorativos, que se han encontrado en Occidente. Datan de los siglos I a III d. C. Muestras más abundantes de tejidos de seda han sobrevivido del Imperio bizantino de los siglos V a XV. El análisis de alrededor de mil muestras ha revelado solo una que puede ser identificada como china, aunque hay algunas pruebas de que los bizantinos durante el reinado del emperador Justiniano I, que gobernó de 527 a 565 d. C., adquirieron la seda china a través del comercio con personas de una antigua cultura iraní llamada los sogdianos.

Fue un erudito bizantino, Cosmas Indicopleustes, quien fue el primer occidental en escribir sobre China. En su *topografía cristiana*, que data de alrededor del 550 d. C., usó el nombre Tzinista para designar un país de Asia Oriental que fue llamado por sus habitantes como Zhōngguó (*zhōng* que significa "medio" y *guó* que significa "estado"). Más tarde, los romanos usaron Taugast como el nombre de China. Era el nombre comúnmente utilizado entre los pueblos turcos de Asia Central para designar el país a su oriente. Un historiador durante el reinado del emperador bizantino Heraclio (r. 610-641) adoptó este nombre en sus escritos.

Por su parte, los chinos solo tenían ideas poco claras de lo que había más allá de Asia Central. Hay referencias a Egipto, pero no a Roma en el *Weilüe*, un texto histórico chino compuesto en algún momento entre el 239 y el 265 d. C. En lo que se conoce como el *Libro del Han Posterior*, compilado en algún momento entre 398 y 445 d. C., las descripciones de las tierras más occidentales parecen ser las del Cercano Oriente, en particular, Irán y Siria. Los textos chinos posteriores del siglo VIII vuelven a mencionar el Cercano Oriente y se refieren a Constantinopla, pero no dicen nada de ningún lugar de la gran Europa.

El primer encuentro entre los chinos y los romanos puede haber tenido lugar a principios del siglo I. Fue reportado por el historiador del siglo II Florus que durante el reinado de Augusto (r. 27 a. C.-14 d. C.), entre las muchas delegaciones de Oriente había personas llamadas Seres. Debido a que este evento no está registrado en ninguna otra historia, probablemente no ocurrió. A partir de los registros chinos, es probable que el enviado Gan Ying fuera el primero en viajar al oeste en una misión al Imperio romano. En el año 97 d. C., llegó hasta Mesopotamia, donde pretendía navegar hacia el Occidente. Se le informó de que el viaje era peligroso y largo, así que regresó a China sin ver el Mediterráneo o la propia Roma.

Si el comercio se hubiera establecido en la época del Imperio romano antes del saqueo de Roma en 410, se esperaría que las monedas romanas hubieran aparecido en los sitios arqueológicos de Oriente. Hasta la fecha, no se han encontrado monedas romanas antiguas en China. Las primeras monedas occidentales encontradas fueron todas acuñadas en Bizancio y datan de la primera mitad del siglo VI. Es importante señalar que, a lo largo de la costa suroeste de la India, miles de monedas romanas de oro y plata han aparecido en excavaciones arqueológicas. Esto indica que existía un importante comercio marítimo y terrestre entre Roma y la India. También, las monedas romanas han aparecido en lo que hoy es Vietnam, lo que sugiere que el comercio marítimo entre Roma y el sudeste asiático es anterior a cualquier comercio terrestre entre Europa y el Lejano Oriente.

Para resumir, la evidencia en Occidente sugiere que solo después del siglo I d. C., como muy pronto, existió algún tipo de comercio entre las zonas de las provincias orientales del Imperio romano, como Siria, y el Lejano Oriente. Claramente, los romanos no supieron de la existencia de China hasta mucho más tarde.

En términos de nombres occidentales para la gran tierra del Lejano Oriente, el término China fue adoptado por los ingleses en el siglo XVI de los portugueses. Los estudiosos han rastreado su origen al persa o posiblemente al sánscrito. Es más probable que se derive de la palabra Qin, el nombre chino de la dinastía Qin, que duró del 221 al 206 a. C. Fue durante la dinastía Qin que los diversos pueblos de China se unieron por primera vez bajo un gobierno central.

# Capítulo 2 - La producción y el comercio de la seda Han

La primera dinastía imperial de China, la Qin, fue reemplazada por la dinastía Han, que llegó al poder con el pueblo Han dominado en un período de facciones étnicas en guerra que luchaban por el poder. El primer emperador Han, Liu Bang, que reinó del 202 al 195 a. C., logró la pacificación de dieciocho estados feudales, formando un dominio de lo que constituye parte de la China actual bajo su gobierno. Estableció la capital del estado chino Han en Chang'an, la actual Xi'an. En los primeros años de la dinastía Han, se enviaron soldados a las fronteras para proteger al imperio de las incursiones bárbaras en las fronteras. Con el fin de disminuir la frecuencia de las incursiones de los pueblos fuera de la China Han, se abrieron mercados fronterizos para que los que vivían fuera del Imperio Han, más allá de las fortificaciones amuralladas, pudieran llevar a cabo un comercio regulado con los comerciantes Han. Este método de pacificación se convirtió en la norma de los Han para expandir su influencia, así como para fomentar el comercio. En la estela del comercio organizado, los Han, a través de la fuerza, podían asimilar a los pueblos de la frontera y eventualmente alimentar el tesoro imperial con los ingresos derivados de los impuestos.

La política de los Han de establecer un comercio regulado con los pueblos más allá de las fronteras de su imperio requería obtener el conocimiento de estos pueblos, de los cuales había muchos, qué bienes excedentes tenían y qué bienes deseaban adquirir de los chinos. El séptimo emperador de la dinastía Han, el emperador Wu (r. 141 a. C.-87 a. C.), en el año 138 a. C., envió a un emisario llamado Zhang Qian para formar una alianza con los pastores nómadas llamados el pueblo Yuezhi que se trasladó a Sogdiana en el siglo II a. C., una confederación informal de pueblos indígenas situada en lo que hoy en día es Kazajstán, Tayikistán y Uzbekistán.

Antes de la llegada de los Yuezhi los sogdianos tenían una cultura de siglos de antigüedad que fue moldeada por su historia de conquista por los imperios del Cercano Oriente y el Mediterráneo. Los sogdianos fueron gobernados primero por Ciro el Grande de Persia (r. 559 a. C.-530 a. C.), y luego sus tierras fueron anexadas por Alejandro Magno en el 328 a. C. La confederación de tribus sogdianas se centró en la ciudad de Samarcanda. Tras la muerte de Alejandro Magno, Sogdiana pasó a formar parte del imperio griego seléucida y luego del reino grecobactriano, que se extendía desde el norte del Irán hasta la cordillera del Hindú Kush y a lo largo del río Oxus.

La iniciación del comercio con los Yuezhi no fue el único motivo de la misión del emisario de Wu, Zhang Qian. Era su intención alistar a los Yuezhi como aliados de los Han en una batalla contra los Xiongnu de Mongolia y la estepa de Manchuria, que era una amenaza para el Imperio Han en la frontera norte. Los Xiongnu eran una confederación de tribus nómadas que se unieron como el Imperio Xiongnu bajo el gobierno de Mòdùn, que gobernó desde el 209 a. C. hasta el 174 a. C. Los guerreros de Mòdùn estaban constantemente en guerra con los pueblos al este del Imperio Han y los pueblos del oeste, incluyendo a los Yuezhi. Como con todos los movimientos y agresiones de las tribus bárbaras, el resultado fue el empuje de las tribus más débiles hacia nuevas regiones. La presión sobre estas tribus más débiles significó que se desplazaron a áreas ocupadas por otras tribus y las desplazaron. Esta constante migración tribal trastornó el comercio e influyó en la presión sobre los pueblos asentados como los Han. Las guerras entre los Xiongnu y los pueblos vecinos continuaron después de la muerte de Mòdùn. Como tal, fue en un área de supremacía tribal inestable que Zhang Qian viajó.

Desafortunadamente, el diplomático fue capturado por los Xiongnu en el 138 a. C., y lo esclavizaron durante diez años. Después de escapar, Zhang Qian finalmente se puso en contacto con los Yuezhi, quienes pastoreaban su ganado al oeste de donde los Xiongnu estaban asentados. Zhang finalmente tuvo que informar al emperador Han que cualquier alianza con los Yuezhi no iba a ser posible, ya que los Yuezhi no mostraron interés en luchar contra sus señores de facto, los Xiongnu.

Zhang Qian tuvo más éxito como explorador que como diplomático. Los informes de sus viajes entre los pueblos de Asia Central convencieron a las autoridades de Han de que más allá de las fronteras de su imperio existían oportunidades para la expansión del comercio y tal vez el tributo a través de los impuestos. En sus viajes, Zhang conoció a los habitantes de Dayuan, que era un centro urbano del valle de Ferganá en Asia Central que se extendía por el actual Uzbekistán oriental, el sur de Kirguistán y el norte de Tayikistán. Dayuan estaba a 1.500 kilómetros de la capital Han, Chang'an. Zhang Qian informó de que los residentes de Dayuan tenían rasgos caucásicos, vivían en ciudades amuralladas, eran consumidores de vino y criaban caballos notablemente resistentes. Zhang intentó sin éxito convencer a la gente de Dayuan de que enviara algunos de sus extraordinarios caballos al emperador Wu.

La cultura del pueblo de Dayuan era bastante diferente de las culturas de los pueblos nómadas que los rodeaban, entre los que se encontraban los Yuezhi. El valle de Ferganá había sido conquistado por Alejandro Magno en el año 329 a. C., donde fundó la ciudad de Alejandría Escaté (Alejandría la más lejana) a orillas del río Sir Daria en el lugar de la actual ciudad de Juyand, Tayikistán. A la muerte de Alejandro, su ciudad amurallada cayó bajo el control del Imperio seléucida y pasó a formar parte del reino grecobactriano. Según el historiador griego Estrabón (63 a. C.-24 d. C.), los grecobactrianos expandieron su reino "hasta los Seres [chinos] y los Phryni", un término genérico para los pueblos del Lejano Oriente. Hay pruebas arqueológicas de estatuillas de soldados griegos de inspiración helenística tardía que indican que los grecobactrianos pueden haber penetrado hasta el lejano oriente, como el actual Ürümqi en la región china de Xinjiang.

El reino de Grecobactriano fue fundado en 250 a. C., cuando un líder secesionista seléucida se proclamó rey Diodo I Soter de Bactria. Su sucesor, Diodo II, fue derrocado por el griego Eutidemo, quien, entre el 210 y el 220 a. C., expandió el reino grecobactriano, desplazándose tan al este como Xinjiang (la moderna China noroccidental). El historiador griego Estrabón escribió que "ellos [los grecobactrianos] extendieron su imperio incluso hasta Seres [los chinos]". Los grecobactrianos también expandieron su dominio hacia el sur bajo el rey Demetrio I (r. circa 200 a. C.-180 a. C.), quien anexó con éxito el actual Afganistán, Pakistán, Punjab y partes del subcontinente indio.

Cuando el diplomático Zhang Qian llegó a Dayuan alrededor del 128 a. C., vio a los guerreros hacer una demostración de cómo disparar flechas a caballo. Esto sugiere que los residentes eran, en ese momento, pastores nómadas que habían emigrado a la ciudad para buscar la protección del reino grecobactriano, que entonces estaba siendo invadido por los Yuezhi. Los Yuezhi estaban siendo expulsados de sus tierras de pastoreo por tribus en expansión de pastores nómadas. Los Yuezhi migratorios evitaron Dayuan y practicaron su vida nómada en el suroeste, donde lucharon contra la autoridad del decadente reino grecobactriano.

En su regreso al este de China, Zhang Qian fue capturado de nuevo por los Xiongnu. Escapó en medio de una guerra civil en el Imperio Xiongnu y se dirigió a su casa en Chang'an.

La historia de Sogdiana, donde los Yuezhi finalmente se "asentaron", por mucho que la palabra puede ser aplicada a los nómadas tradicionales, es aún más complicado. Su ubicación geográfica la hizo susceptible a la fuerza de otras tribus migrantes que seguían sus pasos tanto del este como del oeste. En el siglo I d. C., Sogdiana se convirtió en el centro de un nuevo imperio formado por los Yuezhi, que habían vivido en Bactria. El Imperio kushán se extendió desde Sogdiana en el norte, a través de Afganistán, hasta el norte de la India. El emperador kushán Kanishka el Grande (r. circa 127-150 EC), que probablemente era de la etnia Yuezhi, reformó y expandió el imperio, estableciendo capitales en Purusapura en la cuenca de Peshawar (ubicada en el actual Pakistán y Afganistán) y Kapisi (cerca del actual Bagram, Afganistán). Kanishka también expandió su imperio hacia el sur, tomando la mayor parte de la India. Al conectar la India con Asia Central hasta el valle de Ferganá en el norte y hasta Furfan en el este, que estaba adyacente a la frontera de la China Han, el Imperio kushán pudo comerciar eficientemente de norte a sur y fomentó el comercio de Sogdiana a China. Fue a lo largo de estas rutas comerciales de la Ruta de la Seda que el budismo se abrió camino desde la India, donde Siddhartha Gautama, su fundador, nació alrededor del año 563 a. C. Sus enseñanzas se extendieron lentamente en Asia Central, y la religión llegó a China en el siglo II d. C., que es cuando se registra que los monjes budistas tradujeron por primera vez sus textos al chino.

# Capítulo 3 - El Reino de Loulan

El primer esfuerzo exitoso para expandir el comercio hacia el oeste por los propios emperadores Han comenzó en el siglo I a. C. Esta empresa mercantil se centró en la ciudad oasis de Loulan, donde un reino sofisticado había crecido para dominar la región en el siglo II a. C.

En el Turquestán chino (que incluía parte del actual Xinjiang), en lo que ahora es un páramo poco habitado, los exploradores y arqueólogos han descubierto una antigua cultura previamente desconocida en lo que hoy se denomina la cuenca de Shanshan. Bordeando los márgenes del sur del desierto de Taklamakán, la cuenca de Shanshan ha dado lugar a espectaculares descubrimientos arqueológicos. En la región ahora desolada, en los sitios de las antiguas ciudades de Niya y Loulan, los arqueólogos han descubierto los restos de una cultura sofisticada que tuvo una importancia significativa en la conexión de Asia Central con culturas del sur hasta la India.

Las pruebas arqueológicas han demostrado que la gente que vivía en los centros urbanos de Niya y Loulan estaban en contacto regular con los comerciantes del sur. Estos comerciantes del sur se desplazaron al norte a través de las cordilleras del Karakoram, Hindu Kush, Pamir, Kunlun y el Himalaya. A lo largo de la ruta, que pasaba de la región de Gandhara del subcontinente indio al desierto de Taklamakán, se han descubierto graffitis tallados en piedras. Algunas de las piedras tienen imágenes de Siddhartha Gautama, también conocido como Buda Gautama, y textos en dos escrituras indias, Kharosthi y la posterior escritura de Brahmi.

Las pruebas arqueológicas de Niya y Loulan pintan un cuadro complejo de los orígenes culturales de las poblaciones de las dos ciudades. Algunos artefactos tienen características estilísticas que indican que sus fabricantes procedían de la región de Gandhara (noroeste de Pakistán y noreste de Afganistán). Los cadáveres desenterrados en Niya y Loulan no son chinos ni indios; son en cambio caucásicos con pelo claro, piel clara y alrededor de 1,80 m de altura. Esto lleva a especular que los niyas y los loulans eran descendientes de inmigrantes de la meseta iraní. Los textiles que envolvían estos cadáveres, que datan de los siglos II al IV d. C., consisten en algodón y seda. El primero vino del oeste y el segundo del este.

Las descripciones de los pueblos de la región del desierto de Taklamakán existen en dos textos antiguos, *la Historia de la Dinastía Han* (82 d. C.) y la subsiguiente *Historia de los Han posteriores* (445 d. C.). Los escritores chinos identifican la región como el reino de Shanshan. Las dos ciudades del reino de Shanshan, Niya y Loulan, parecen haber rivalizado entre sí en importancia en lo que se refiere a la difusión del budismo y la lengua índica kharosthi.

Fue el informe de Zhang Qian el que animó al emperador Wu a atacar a Loulan en el 108 a. C. El rey de Loulan fue capturado y el emperador Han exigió un tributo. Loulan, a través de alianzas alternas entre los Han y los Xiongnu, logró evitar la conquista. En el 77 a. C., sin embargo, las cosas llegaron a un punto crítico. Después de que una serie de enviados Han fueran asesinados por el rey de Loulan, el emperador Zhao (r. 87 a. C.-74 a. C.) envió un emisario llamado Fu Jiezi a Loulan. Le entregó un regalo de seda de China al rey de Loulan. Se dice que el rey, encantado con el regalo, se intoxicó y la guardia de Fu lo mató. Según los registros chinos, el asesino de Fu anunció: "El Hijo del Cielo [el emperador Han] me ha enviado para castigar al rey, por su crimen de volverse contra Han... Las tropas de Han están a punto de llegar aquí; no se atrevan a hacer ningún movimiento que resulte en la destrucción de su estado". Los chinos ocuparon entonces el reino de Loulan e intentaron anexarlo al Imperio Han bajo la designación de Shanshan. Sin embargo, en los períodos en que los chinos mostraron signos de debilidad, la región volvió a ser un reino independiente o cayó bajo el control de los Xiongnu. Los registros de Han dicen que en el 25 d. C., Loulan se alió con los Xiongnu. Los chinos respondieron enviando a un oficial del ejército, Ban Chao, para obligar a Loulan a volver al control de los han. Cuando Ban Chao, junto con un pequeño contingente de soldados, llegó a Loulan, descubrió una delegación Xiongnu negociando con el rey de Loulan. Ban mató a los enviados Xiongnu y entregó sus cabezas al rey Guang, el gobernante de Loulan, quien se sometió a la autoridad de Han. Esto aseguró que la primera etapa de la Ruta de la Seda desde China hacia el Oeste fuera segura para los comerciantes y mercaderes.

Tras la pacificación de los pueblos de la cuenca de Shanshan y obligándolos a acceder al control de los Han, Ban Chao decidió ponerse en contacto con el lejano Imperio romano. Despachó a un embajador, Gan Ying, para que viajara a Occidente. No se sabe exactamente lo que Ban Chao sabía de los romanos, cuyo imperio se extendía en ese momento a Mesopotamia. Presumiblemente, adquirió algún conocimiento de lo que había más allá de Persia de los comerciantes de Loulan. El embajador Gan Ying, cuyo objetivo era llegar al "mar occidental", puede haber llegado al Mediterráneo o al mar Negro. Sin embargo, es más probable que solo llegara hasta el golfo Pérsico. Al enterarse de que el viaje a través de cualquier mar que encontrara implicaba un viaje de ida y vuelta de tres meses, abandonó su expedición. Su descripción del Imperio romano, ciertamente basada en observaciones de segunda mano, incluía información sobre los bienes producidos allí, entre ellos oro, plata, monedas, jade, cuernos de rinoceronte, coral, ámbar, vidrio y alfombras de seda con hilo de oro entrelazado. De la misión de Gan Ying se desprende claramente que las autoridades y los comerciantes de Loulan creían que el comercio y las transacciones comerciales con los chinos Han podían ampliarse con misiones al Occidente desconocido.

Se ha sugerido que el viaje de Gan Ying hacia el oeste fue saboteado por los partos, cuyo imperio se extendía desde Mesopotamia, al norte hasta el mar Caspio, y al este hasta Asia Central, casi hasta las fronteras de la China Shanshan. Los partos, deseosos de proteger su papel de intermediarios en el comercio entre Roma y la India, así como de fomentar su potencial comercial más al este con China, pueden haber desalentado a Gan Ying exagerando las dificultades de la continuación de su expedición en una larga travesía marítima hacia el Imperio romano.

Tras el viaje de Gan Ying a Occidente, el emperador Han se esforzó por consolidar su control de Shanshan e impedir que los posteriores reyes de Loulan albergaran nociones de independencia. Se enviaron soldados a Loulan, donde se establecieron como colonos. En el año 222 d. C., Shanshan se había convertido en un tributario formal de los chinos. La afirmación de la condición de dependiente inferior de Shanshan se indica por el hecho de que el rey fue enviado como rehén a la corte china durante el reinado del primer emperador de la dinastía Jin, el emperador Wu (r. 266-290). Las distancias que tuvieron que recorrer los chinos para tratar con Shanshan indican que el comercio a lo largo de la Ruta de la Seda era financieramente ventajoso para el emperador Han.

En la *Historia de los Han posteriores*, que fue compilada en el siglo V a partir de textos anteriores, se registra que los primeros embajadores de los romanos llegaron a la capital del Imperio Han durante el reinado del emperador Huan (r. 146-168). No está claro si los emisarios fueron enviados por Antonino Pío (r. 138-161) o por su sucesor Marco Aurelio (r. 161-180). La embajada romana llegó por mar, tal vez a través del golfo de Tonkín, que se encuentra frente a la costa del norte de Vietnam y el sur de China. Este primer grupo de romanos que visitó la corte de los Han se convirtió en sospechoso porque los regalos que presentaban eran objetos adquiridos en el sudeste asiático y no objetos únicos de la propia Roma. Los historiadores han supuesto que los visitantes de la corte Han no eran, de hecho, un grupo de embajadores oficiales sino más bien comerciantes que habían naufragado y habían perdido así los bienes romanos que pretendían entregar a los chinos. La teoría de que el primer contacto entre los romanos y los chinos se produjo a través del sudeste asiático se ve confirmada por otros textos y hallazgos arqueológicos que implican conexiones mercantiles entre Roma y las actuales Camboya y Vietnam. En el año 226 d. C., un comerciante llamado en los textos como Qin Lun, una versión china de un nombre romano desconocido, apareció en la corte del emperador Sun Quan en Nanjing. Después de describir su patria romana, Qin Lun fue enviado de vuelta a Occidente. Es probable que Qin Lun, como los comerciantes anteriores, fuera un comerciante romano que desembarcó en el sudeste de Asia.

# Capítulo 4 - Los budistas a lo largo de la Ruta de la Seda

La historia temprana de lo que se conocería en la era moderna como la Ruta de la Seda no indica que el comercio de la seda fuera el objetivo principal para forjar la expansión comercial en el Oriente o el Occidente. Los griegos y los romanos estaban principalmente interesados en la expansión a medida que se adentraban en Asia Menor, y los chinos Han estaban motivados para expandirse hacia el oeste en su objetivo de comerciar productos alimenticios, caballos y una gama limitada de artículos de lujo con los pueblos asentados y seminómadas que vivían allí.

Los pueblos y ciudades a lo largo de las antiguas rutas comerciales, algunos de los cuales no eran más que pequeños oasis y otros sofisticados centros urbanos, eran importantes no solo para el intercambio de bienes sino para la transmisión de la cultura en todas sus formas, incluyendo el idioma y la religión.

Para entender la difusión de la cultura a través de la Ruta de la Seda, es necesario dirigirse a la próspera ciudad oasis de Kucha. Era la puerta de entrada a la ruta comercial china que bordeaba el desierto de Taklamakán al norte. Al igual que Loulan, se convirtió en el nexo para la transmisión de la cultura. El idioma de Kucha, el kucheano, provenía del mismo grupo de idiomas indoeuropeos que el sánscrito, el idioma original para la expresión de las enseñanzas budistas.

Los chinos interactuaron por primera vez con los pueblos de Kucha a finales del siglo II a. C. El emperador Han Wu envió a su general Li Guangli a visitar el reino de Ferganá en la actual Uzbekistán. En el camino, visitó Kucha. Como en Loulan, los líderes de Kucha habían intentado apaciguar a la confederación Xiongnu, pero al debilitarse esta, los kuchanos se aliaron con los chinos Han. En el 65 a. C., el rey de Kucha viajó a Chang'an, y después de eso, los chinos tuvieron un informe oficial sobre los asentamientos del oasis a lo largo de la ruta norte de la Ruta de la Seda alrededor del desierto de Taklamakán. Los informes enviados por los oficiales de Kucha se incorporaron a la historia oficial de la dinastía Han.

Es difícil evaluar el alcance de la presencia de los Han en la región. Los reinos oasis a lo largo de la ruta norte de lo que llamamos la Ruta de la Seda estaban continuamente en guerra unos con otros. Así, Kucha, en el 46 a. C., fue derrotada por el vecino reino oasis de Yarkand. Los chinos Han parecen haber ejercido posteriormente el control de forma intermitente sobre varios oasis que rodean Kucha. El general Ban Chao, que fue nombrado gobernador de la región en el 91 a. C., obtuvo el control formal de la propia Kucha. Su guarnición en Kucha, que puso bajo el control de la familia Bai, duró menos de veinte años. Los pueblos de la región se levantaron contra el dominio chino y destruyeron la guarnición china de Kucha. La familia Bai, de vez en cuando, tuvo éxito a lo largo de los siglos en ganar el dominio sobre uno u otro oasis. Se convirtieron en budistas, y el budismo se convirtió en la religión dominante en Kucha en el siglo IV.

Fue en Kucha donde los escritos budistas fueron traducidos del sánscrito al chino por Kumarajiva (vivió del 344 al 413 d. C.). Kumarajiva era hijo de una devota madre budista que abandonó a su marido y se estableció en un convento budista. Viajó con su hijo a

Gandhara, donde Kumarajiva estudió budismo Hinayana y luego estudió con un monje budista Mahayana. Regresó a casa en Kucha, llevando las dos ramas del budismo a su pueblo.

En el 384 d. C., la ciudad de Kucha fue conquistada de nuevo, esta vez por el general chino Lü Chuang. Se dice que Kucha tenía miles de pagodas y templos, y el palacio de los reyes Bai fue descrito como igual a la residencia de los dioses. El santo Kumarajiva fue secuestrado alrededor del 390 a. C., y según su biografía, tuvo hijos, lo que iba en contra de sus votos budistas. Finalmente, llegó a la capital china de la dinastía Jin (265-420 d. C.), Chang'an, en el año 401, donde se le encargó la traducción de textos budistas. Entre los muchos textos que tradujo estaba el Sutra del Loto (un sutra es la palabra sánscrita para una obra que se dice que es del propio buda). Los textos de Kumarajiva tuvieron una amplia difusión y su comprensión se facilitó con la invención china del sistema de pinyin, en el que se desarrollaron ciertos caracteres para representar sílabas de palabras extranjeras. La expansión del idioma chino para que se pudieran entender ciertas palabras en sánscrito para conceptos budistas puede haber implicado la invención de hasta 35.000 nuevas palabras chinas.

La traducción de textos en sánscrito en este período no se limitó a la capital de Jin, Chang'an. En Kucha y en otros lugares a lo largo de la Ruta de la Seda, los textos budistas fueron traducidos a los idiomas locales.

Durante la vida de Kumarajiva, se comenzó a trabajar en las ahora mundialmente famosas cuevas de Kizil, que están situadas a 67 kilómetros (casi 42 millas) al oeste de Kucha. Descubiertas por un explorador alemán en 1909, las 339 cuevas excavadas fueron decoradas con pinturas que han sido utilizadas por los historiadores de arte para desentrañar la historia cultural de la región. Las cuevas de Kizil consisten en habitaciones individuales centradas en un pilar, o estupa, alrededor del cual caminaban los budistas, expresando su devoción a buda. La construcción de las cuevas es similar a las de la

India en Ajanta, cerca de Bombay, y otras cuevas budistas tempranas de la India. Algunas de las pinturas, como la de la cueva 38, muestran dioses indios y budas en llamas representados en un estilo claramente indio. Fueron pintados por artistas de la India o copiados de dibujos traídos de la India. Otras cuevas están decoradas con ilustraciones de cuentos de Jataka, que son historias sobre las anteriores encarnaciones de buda Gautama, tanto como seres humanos como animales. Los cuentos, que datan del 300 a. C., al 400 d. C., se refieren a buda ayudando a personajes que se encontraban en problemas. Desde el descubrimiento de las cuevas de Kizil, los anticuarios de varias naciones han retirado muchas de las obras de arte y las han depositado en museos de Occidente.

La familia Bai continuó gobernando en Kucha desde el siglo VI hasta el VIII. Durante este período, los impuestos fueron entregados a las dinastías chinas reinantes. La información sobre el comercio se ha recogido de los pases oficiales de Kuchan para las caravanas que existen para el período de 641 a 644. Generalmente, las caravanas eran pequeñas, con menos de diez hombres y un pequeño número de animales, ya sea burros o caballos. Como los caminos eran seguros, las caravanas podían estar formadas por un pequeño número de hombres que no necesitaban la protección de los guerreros. En 648, los soldados chinos Tang (618-907) volvieron a conquistar Kucha, quitándole la dependencia del Jaganato Turco Occidental, que se formó a principios del siglo VII. El control de los chinos Tang sobre Kucha, la ciudad más oriental a lo largo de la Ruta de la Seda del norte, fue interrumpido intermitentemente por revueltas e incursiones de tibetanos y sogdianos. El Protectorado Tang Anxi (647-784), establecido por el gobierno militar de Tang, logró mantener el control de Kucha, pero el contacto con Chang'an a lo largo de la Ruta de la Seda se rompió ocasionalmente. Un general chino llamado Guo Xin mantuvo el control de Kucha desde el año 766. Gobernó en aislamiento hasta el año 790 cuando los tibetanos del sur se mudaron. Ellos, a su vez, fueron desplazados por los uigures, que controlaron el área desde principios del siglo IX hasta el surgimiento del Imperio mongol en el siglo XIII.

El comercio entre China y los kuchanos a lo largo de los siglos VII y XIII se limitó principalmente a los caballos. Estos se obtenían de las tribus nómadas que pastoreaban sus rebaños al norte de Kucha y de los sogdianos al oeste. Los caballos se intercambiaban por productos agrícolas, acero o telas. También hay pruebas de que había una economía monetizada en forma de monedas chinas. Cuando los Tang se retiraron de Kucha en el 755, se acuñó una moneda local.

# Capítulo 5 - Turfán: Un oasis en la Ruta de la Seda

La segunda ciudad oasis más importante en la Ruta de la Seda, al norte del desierto del Taklamakán, era Turfán. Los habitantes originales de la región de Turfán fueron llamados Chü-shih por los chinos, que significa gente que vivía en tiendas de fieltro. Para el 60 a. C., los Han habían expulsado a los Xiongnu, una confederación de tribus nómadas que vivían en la estepa euroasiática, y controlaban la tierra que una vez ocuparon los Chü-shih. Los Han, con fines administrativos, dividieron los nuevos pueblos subordinados en ocho estados, haciendo de la región alrededor de Turfán, el antiguo reino Chü-shih, su centro de operaciones. La guarnición de Turfán incluía una colonia militar, y para el 273 d. C., la mayoría de la población de Turfán era principalmente inmigrantes chinos. La ciudad cambiaba de manos regularmente, pero en su mayor parte, permanecía bajo control chino. Con el colapso de la dinastía Qin Occidental en el siglo IV d. C., Turfán sufrió incursiones de tribus nómadas. Fue, después de un esfuerzo militar concertado, que la región alrededor de Turfán fue restaurada al control chino bajo la familia Ch'ü, que administró el territorio desde su capital en Kao-ch'ang a unos 40 kilómetros de la actual Turfán.

Kao-ch'ang sirvió como capital administrativa de la región de Turfán bajo los miembros de la familia Ch'ü, que se autodenominaban los reyes de Liang. Fue bajo el mandato de Chü-ch'ü An-chou que se fundó un importante monasterio budista cerca de Turfán. Cuando fue explorado por arqueólogos europeos a principios del siglo XX, reveló un tesoro de información sobre la historia cultural del segmento de Turfán de la Ruta de la Seda.

En el 460 d. C., Chü-ch'ü An-chou fue derrocado por una confederación de tribus nómadas del desierto de Gobi, que luego establecieron su propio reino en Kao-ch'ang. A pesar de las incursiones bárbaras, Turfán siguió siendo la base de la administración bajo la familia de reyes Ch'ü (500-640) y posteriormente bajo los administradores chinos de la dinastía Tang (618-907) y finalmente el reino Uigur Qocho (866-1283). En 981, había más de cincuenta templos budistas en los alrededores de Turfán.

Cuando la ruta sur alrededor del desierto del Taklamakán cayó en desuso después del año 500 d. C., los viajeros eligieron la ruta norte que pasaba por la ciudad de Turfán. Existe una descripción de la ciudad en los escritos de un monje chino llamado Xuanzang (c.602-664), que partió de Chang'an hacia la India en 629. Su propósito era estudiar los textos budistas sánscritos. Desde la ciudad más occidental que estaba bajo el control de los chinos Tang, Xuanzang se dirigió hacia el oeste a través del desierto de Gobi y llegó a Turfán, que estaba a unos 650 kilómetros (casi 404 millas) al noreste de Kucha, en 630.

Desde Turfán, la Ruta de la Seda pasó a Sogdiana. Después de su invasión por los musulmanes en el siglo VIII, la religión dominante, tras un período de conversión gradual, se convirtió en el islam.

Sogdiana era una red de ciudades-estado donde los mercaderes viajaban de un oasis a otro, enlazando con Bizancio, India, Indochina y China. Desde su exploración por Zhang Qian durante el reinado del emperador Han Wu en el siglo II a. C., Sogdiana fue conocida por los chinos como Kangju. El comercio a lo largo de la Ruta de la Seda entre Sogdiana y China, que había procedido más o menos sin obstáculos en la era Tang, fue interrumpido por el colapso de la dinastía Tang en 907 d. C.

En el norte y el oeste de China, la confederación tribal Uigur se rompió a mediados del siglo X. Los uigures, un grupo étnico turco que emigró de Mongolia a la región al norte del desierto de Taklamakán en el siglo IX, se convirtieron al islam en el siglo X. Con los conflictos multiétnicos que abundaban a lo largo de las rutas de la Ruta de la Seda del norte y del sur alrededor del desierto del Taklamakán, hubo una interrupción del comercio de larga distancia.

Aunque este tipo de disturbios a lo largo de la Ruta de la Seda interrumpió el comercio, el surgimiento de una población llamada los Kitán pudo haberlo interrumpido peor. Los Kitán eran un pueblo nómada que se movía con las estaciones sobre las tierras de pastoreo en la actual Mongolia, el Lejano Oriente ruso y partes de China. Eran, según los estudiosos, proto-mongoles que hablaban Kitán.

Un líder de la tribu Yila de los Kitán, llamado Abaoji, se propuso en el primer cuarto del siglo X unificar a los Kitán y conquistar a los pueblos vecinos. Al frente de una caballería de 70.000 hombres, cabalgó hasta Shanxi (una provincia actual del norte de China), donde se alió con el gobernador militar, Li Keyong, que en 833 había unificado y pacificado Shanxi bajo la autoridad de la dinastía Tang. Desde la capital de Chang'an, los emperadores de la dinastía Tang crearon una civilización muy culta, según algunos, era la edad de oro de China, y a través de la fuerza pacificaron a las tribus nómadas del oeste a lo largo de la Ruta de la Seda. Estas tribus del Asia Interior fueron puestas bajo un sistema de protectorado y se les exigió que pagaran tributo a China.

Con sus éxitos en la toma de los territorios chinos de Tang en el norte de China, Abaoji asumió el título de Gran Kan de los Kitán. Más tarde conocido después de su muerte como el emperador Taizu de Liao (r. 916-926), intentó organizar a su pueblo bajo una administración que combinaba las tradiciones de la sociedad nómada y el sistema de gobierno chino que habían adoptado los pueblos sedentarios que anexó a su imperio. Por ejemplo, en la corte de Abaoji se observaron las formalidades chinas. Llegó a llamarse a sí mismo emperador celestial al estilo chino. En contradicción con la tradición de Kitán, en la que el liderazgo se ganaba por mérito, nombró a su hijo como el heredero aparente. En el momento de su muerte, Abaoji había conquistado todas las tribus del este de la península de Corea, el Lejano Oriente ruso y Manchuria. Además, había extendido su autoridad hasta la meseta de Mongolia. Sin embargo, Abaoji no vivió para seguir su ambición de moverse al sur para atacar a los chinos Tang. Después de una lucha interna, Taizong se convirtió en el segundo emperador de Liao (r. 927-947). Tuvo éxito donde su padre había fracasado: marchó a China, cruzó el río Amarillo y amenazó con trasladarse al oeste, a Chang'an. Las rebeliones y la traición entre sus propias fuerzas y las familias rebeldes chinas que conquistó obligaron a Taizong a retirarse y regresar más allá del río Amarillo. Cuando murió, su sucesor no pudo mantener las ganancias territoriales. La dinastía Liao perdió importancia hasta que cayó ante la dinastía Song del Norte de China en 1125.

Otras perturbaciones del comercio a lo largo de la Ruta de la Seda fueron causadas por la guerra en el norte entre los chinos Song y la dinastía rival Gran Jin (1115-1234). El conflicto obligó a los ejércitos y la corte de los Song a retirarse al sur, cediendo el control de una vasta franja del norte de China, principalmente Manchuria, a los rebeldes Jurchen, que fueron en un principio aliados de los Jin y más tarde se convirtieron en sus señores.

Después de su retirada hacia el sur, el comercio de los chinos Song pasó a depender menos de la Ruta de la Seda, ya que se había vuelto cada vez más peligrosa y poco fiable. El comercio a lo largo de la Ruta de la Seda fue, en parte, suplantado por el comercio marítimo con Japón, el sudeste asiático y alrededor del Océano Índico. Los puertos chinos a lo largo de la costa sur, como Guangzhou y Quanzhou, se convirtieron en importantes centros de comercio con los comerciantes árabes, persas, malayos y tamiles que llevaban a cabo sus negocios allí.

# Capítulo 6 - La leyenda del Preste Juan

A principios de la Edad Media, los europeos solo tenían las ideas más básicas de lo que había más allá de Mesopotamia. Las leyendas de las conquistas de Alejandro en el Oriente fueron transmitidas en la literatura oral y eventualmente puestas por escrito. Eran, en su mayoría, historias extravagantes que se referían a extrañas criaturas como Amazonas, Cinocéfalo (hombres con cabeza de perro), Esciápodos (hombres con una sola pierna que eran veloces corredores) y Antropófagos (hombres con caras en el pecho). También se decía que en Oriente habitaban extrañas bestias, como unicornios y serpientes de dos patas.

El interés europeo en las tierras que se encuentran en el Oriente más allá del Mediterráneo fue estimulado por el fervor de la cruzada contra los musulmanes. Los musulmanes habían expandido su esfera de influencia mucho más allá de Tierra Santa cuando se lanzó la Primera Cruzada en 1096. El inicio del comercio con las desconocidas tierras orientales era menos importante que la difusión de la religión cristiana para contrarrestar el expansionismo musulmán en Oriente.

En el siglo XII, las leyendas de Oriente se ampliaron con la inclusión del cuento del Preste Juan. En 1122, un hombre que afirmaba ser el patriarca de la India llegó a Roma, exigiendo la confirmación papal de su cargo. Existen textos contemporáneos que pretenden registrar la descripción del Preste Juan de la India tal como la presentó al papa Calixto II. Se dijo que el Preste Juan le dijo al papa que vivía en la enorme ciudad de Hulna, que estaba habitada por cristianos devotos y rodeada por doce monasterios. La historia de una vibrante comunidad cristiana más allá del río Tigris fue reiterada por el cronista alemán, el obispo Otto de Freising. Escribió en 1145 que había oído de un obispo sirio que un rey y sacerdote llamado Juan gobernaba un vasto reino de cristianos nestorianos descendientes de los Reyes Magos, que muchos lectores pueden estar familiarizados con su descripción en la historia del nacimiento de Jesús como los tres hombres que viajaron desde el Este para rendir homenaje al niño Cristo. Otón de Freising informó que el rey oriental Juan habría acudido en ayuda de los sitiados cruzados cristianos en el Cercano Oriente si no le hubiera impedido hacerlo la imposibilidad de transportar su ejército a través del Tigris.

La leyenda de Preste Juan se amplió aún más en una *Carta de Preste Juan* de autoría anónima, que fue creada en algún momento antes de 1180 y dirigida al emperador bizantino Manuel I Comneno (r. 1143-1180). La carta se convirtió en un documento muy popular, y hay más de 120 copias manuscritas de la misma.

En la carta, el Preste Juan dice que desea viajar a Occidente y visitar el Sepulcro de Cristo. Dice que gobierna un vasto reino con 62 sub-reyes cristianos y que su reino es extraordinariamente próspero, fluyendo con leche y miel. Está adyacente al Paraíso, tiene una fuente de juventud, y no hay pecado venial en su tierra. El Preste Juan informa que tiene un enorme ejército de caballeros y ballesteros. En resumen, concluye: "No hay ningún rey tan poderoso en este mundo como yo".

Las copias manuscritas de la carta variaban, y la descripción del reino del Preste Juan se amplió. Por ejemplo, en las copias creadas en Inglaterra, se decía que, en la corte oriental del Preste Juan, había unos 11.000 ingleses. En Francia, las copias de la carta afirmaban que el Preste Juan tenía 11.000 caballeros franceses al mando.

La popularidad de la *carta del Preste Juan* sugiere que había una esperanza generalizada en Europa durante la Edad Media de que una poderosa comunidad cristiana en Oriente podría ayudar en la lucha de los cruzados contra los "infieles" musulmanes. Además de eso, el hecho de que hubiera un reino espectacular en algún lugar del territorio inexplorado de Oriente proporcionaba una especie de esperanza de un mundo mejor entre los europeos.

Los geógrafos árabes en las cortes de los enemigos musulmanes de los cruzados tenían nociones igualmente extravagantes sobre lo que había al este de sus califatos en expansión. A partir de los relatos de los comerciantes que penetraron en Oriente, los eruditos musulmanes elaboraron informes confusos sobre la India, las Indias Orientales y China. A principios del siglo XIV, un geógrafo kurdo llamado Abu al-Fida (1273-1331) afirmó que el conocimiento de China era "tan bueno como desconocido para nosotros; hay pocos viajeros que llegan de estas partes, como para proporcionarnos información". La poca información que se transmitía en los textos geográficos árabes relativos a Oriente no fue adoptada por los europeos, que, por alguna razón, ignoraron los textos geográficos árabes, a pesar de tener un interés entusiasta en los escritos científicos de los musulmanes.

Sin embargo, los europeos conocían a los cristianos de los confines del Levante. Eran adherentes a una doctrina condenada por los cristianos del rito oriental en Constantinopla y la Iglesia católica romana. Los nestorianos sostenían la herética opinión de que en Cristo había una sola persona con dos naturalezas, la divina y la humana. La cabeza de la Iglesia Nestoriana estaba en Bagdad, y sus iglesias estaban esparcidas por todo el Cercano Oriente desde Siria hasta Persia. Los nestorianos eran proselitistas activos, y para el siglo VIII, las iglesias nestorianas se encontraban en Turkestán, China, y entre las tribus nómadas de Mongolia.

Los cristianos nestorianos entraron en contacto con los chinos en el siglo XII. Un rey chino disidente, Yelü Dashi, lideró un grupo de clanes nómadas Kitán en Asia Central, donde se estableció como emperador de Kara-kitai, también conocido como Liao Occidental. Estableció una autoridad central en una vasta región que abarcaba las rutas comerciales alrededor del lago Baljash. Estableció su capital en Balasagun, en el actual Kirguistán. Al oeste de Kara-kitai, en lo que hoy es Irán e Irak, dominaba el sultanato selyúcida. Los enormes ejércitos de Yelü Dashi y los selyúcidas se reunieron en el campo de batalla de Qatwan, situado al norte de Samarcanda en el actual Uzbekistán, en 1141. Las fuerzas de Yelü Dashi prevalecieron y se trasladó a Samarcanda, donde aceptó la lealtad de los líderes musulmanes y estableció un estado de tributación. Fue la tolerancia de Yelü Dashi con los cristianos nestorianos de su imperio lo que sin duda se convirtió en la base de la leyenda del Preste Juan, que proliferó en Europa después de la Primera Cruzada (1095-1099).

# Capítulo 7 - Gengis Kan, gobernador de todo el mundo

En el siglo X, las tribus proto-mongolas que vivían en la región de la cuenca alta del río Amur comenzaron a abandonar sus tierras ancestrales en lo que hoy es Mongolia Interior y Manchuria. Se desplazaron hacia el sur y el oeste, invadiendo la zona norte de China, donde fundaron la dinastía Liao (916-1125). Bajo el nombre de Kara-kitai, se establecieron como agricultores sedentarios, fundaron una ciudad capital llamada Huangdu (más tarde Shangjing) y adoptaron un sistema de liderazgo hereditario, abandonando su sistema tribal tradicional de elección de un líder. Situados a lo largo de la Ruta de la Seda, los pueblos de la federación de Kitán tenían fácil acceso a los estados unificados de China. Fue a lo largo de la Ruta de la Seda que elementos de la cultura china viajaron, como la idea de que la estabilización de los impuestos era ventajosa para el crecimiento de la riqueza. Alrededor del año 920, el primer gobernante de la dinastía Liao, Abaoji (r. 916-926), adoptó el nombre chino de Taizu. Con la necesidad de documentos escritos para facilitar la administración del pueblo Kitán, el emperador de Liao hizo que sus eruditos de la corte adaptaran una escritura de los documentos escritos que llegaron al imperio de los comerciantes chinos a lo largo de la Ruta de la Seda.

Con el conocimiento de la cultura china que viajó al norte con los comerciantes, los emperadores de Liao se inspiraron para invadir a los chinos más ricos y sofisticados.

En 960, cincuenta años después del colapso de la dinastía Tang en China, el país se unificó bajo la dinastía Song (969-1279). Los Song gobernaron una franja mucho más pequeña de China que los Tang. El tercer emperador Song, Zhenzong (r. 968-1022), negoció un tratado con Liao al norte, prometiendo entregar anualmente un tributo de 200.000 rollos de seda, así como una gran cantidad de plata. Este tesoro pasó por una de las rutas de la Ruta de la Seda, al igual que otros bienes en el período de paz entre los Liao y los Song. Pagar un tributo en seda era tradicional con los chinos, y se convirtió en un medio de intercambio que era omnipresente en la Ruta de la Seda en las regiones adyacentes a China. Los rollos de seda que se entregaban a los Liao podían utilizarse como pago por los alimentos y los caballos criados por agricultores sedentarios y pastores nómadas. A su vez, los comerciantes de fuera y dentro del territorio de Liao podían utilizar los rollos de seda como moneda para adquirir otros bienes que necesitaran.

Hubo una fusión gradual de las tribus nómadas mongoles al norte de las tierras de Liao, que también se asimilaron a otras tribus que se extendieron por las estepas de Asia Central. En 1155, un niño llamado Temujin nació en un clan mongol. Adquirió habilidades inusuales como guerrero, y Temujin finalmente adquirió el control de toda Mongolia. Su demostrada habilidad como guerrero y estadista lo colocó en un buen lugar cuando un *kurultai*, o consejo político y militar mongol, se reunió en 1206 para considerar su valía como líder. Temujin, más conocido como Gengis Kan, fue nombrado como el Gran Kan de los mongoles. A partir de ese momento, extendió su poder para formar el mayor imperio que el mundo había visto nunca. Las muchas culturas que llegaron a ser dominadas por los mongoles entregaban tributos y comerciaban entre ellas usando la Ruta de la Seda. Con el control mongol, las rutas comerciales se hicieron más seguras, y viajar con mercancías de oeste a este y viceversa se hizo menos complicado cuando los mongoles instituyeron reglamentos comunes para los pases para viajar a lo largo de los segmentos de la Ruta de la Seda.

Gengis Kan sometió a los habitantes de los bosques del norte de Siberia, y atacó a los habitantes del desierto de Gobi, formando entonces un tercio completo de China. También conquistó los carlucos, una confederación de pueblos turcos nómadas al oeste de las montañas de Altái en Asia Central, y sometió a los uigures musulmanes estrechamente aliados, que ocuparon varios oasis a través del desierto del Taklamakán, controlando así la Ruta de la Seda. Llevó a los Kitán a su imperio y luego se puso en marcha para conquistar la propia China. En marzo de 1211, Gengis Kan declaró la guerra a los restos de los Jin en el norte de China, que entonces estaban bajo el control de los Jurchens. La marcha fue lenta, tomando hasta dos años, durante los cuales Gengis Kan aprovechó la oportunidad de conquistar los Jurchens en Manchuria. En 1215, tomó Beijing. Inmediatamente regresó a Mongolia y se enfrentó a una rebelión en Kara-kitai, donde fue recibido con entusiasmo por los musulmanes que se creían oprimidos por los budistas.

Para entonces, los mongoles tenían el control de toda Asia Central hasta el río Sir Daria, que formaba la frontera con Irán. Con respecto a la Ruta de la Seda, este protectorado mongol fue un importante impulso para el aumento del tráfico y el comercio. Irán, entonces bajo el control de Ala ad-Din Muhammad II (r. 1200-1220), el sha de la dinastía Khwarezmian (Jorezmitas), fue atacado por Gengis Kan, que lideró entre 150.000 y 200.000 soldados mientras marchaba hacia el oeste. En septiembre de 1219, Gengis cruzó el Sir Daria y penetró en Khwarezmia hasta Bujará (en el actual Uzbekistán), y luego persiguió a Ala ad-Din Muhammad mientras huía hacia el sur hasta Bactra (actual Balj) y luego hasta Nishapur y Rey (actual Teherán). Gengis Kan arrasó el país y mató a muchos habitantes; sin embargo, perdonó a los artesanos y al clero musulmán. Este último escapó a las represalias porque Gengis Kan tenía una política de proteger todas las religiones y permitir todas las prácticas religiosas dentro de su imperio. El hijo de Ala ad-Din Muhammad, Jalal ad-Din Mingburnu (r. 1220-1231), siguió con la guerra, retirándose a Sogdiana (actuales estados de Samarcanda y Bujará en Uzbekistán, Sughd en Tayikistán y partes de Afganistán). El ejército de Gengis Kan persiguió a su enemigo hasta Sogdiana, donde sus soldados llevaron a cabo una limpieza étnica a gran escala. Jalal se vio obligado a retirarse al otro lado del río Indo, donde intentó reconstruir el Imperio Khwarezmiano. Gengis Kan no presionó inmediatamente en busca de Jalal, pero en 1222, sitió a Multan (en el Pakistán actual). Los mongoles se vieron obligados a retirarse, sin embargo, a causa del calor, y Gengis Kan regresó entonces a la sede de su imperio en Mongolia.

Debido a las conquistas en el oeste por Gengis Kan, las complejas e inconsistentes regulaciones comerciales y la interrupción del comercio debido a los conflictos locales fueron lentamente mejoradas. Con los mongoles a cargo, los comerciantes podían recorrer mayores distancias antes de descargar sus mercancías y entregarlas a los comerciantes familiarizados con las rutas locales de la Ruta de la Seda. Con el auge de los mongoles, el comercio a lo largo de las rutas de la Ruta de la Seda se expandió, tanto en la distancia recorrida como en el volumen de mercancías movidas. A medida que el Imperio mongol se expandió, también lo hizo la longitud de algunas de las rutas de la Ruta de la Seda.

En lugar de tomar la ruta más directa a casa, el ejército de Gengis Kan cruzó las montañas del Cáucaso, donde se encontraron con los georgianos. Los georgianos establecieron posiciones defensivas en Ucrania, que estaba entonces bajo el control de los turcos de Kipchak. Los rusos fueron convocados para ayudar en la batalla contra los mongoles, pero fueron derrotados por completo el 31 de mayo de 1222 por los aliados de Gengis Kan. La Georgia mongola se convertiría en un importante punto de partida para que los comerciantes europeos se conectaran con la ruta norte a lo largo de la ruta de la seda.

Para 1222, el anciano Gengis Kan se enfrentaba a su propia mortalidad. Se había enterado de que los taoístas chinos poseían un remedio secreto contra la muerte, y por ello convocó a un maestro taoísta a su corte itinerante, que le dijo que había remedios para prolongar la vida, pero no para evitar la muerte. Aconsejó templanza y buena vida. El Gran Kan escuchó y luego partió hacia Mongolia, llegando en 1225. Aunque cansado de la guerra, Gengis Kan dirigió personalmente su ejército a través del desierto de Gobi y atacó al pueblo Tangut en el noroeste de China. Fue durante este tiempo que Gengis Kan se esforzó por atacar a la gente del Xia occidental, que ahora se conocen como las provincias chinas de Ningxia, Gansu, Qinghai, Shaanxi, Xinjiang, y partes de la Mongolia interior y exterior. Sin embargo, sería su última temporada de lucha, ya que Gengis Kan murió en 1227 antes de que los Tanguts capitularan. Sin embargo, el Xia occidental, donde la Ruta de la Seda discurría desde el norte de China hasta el Asia Central, cayó finalmente bajo el control de los mongoles. Con los mongoles dominando una zona tan grande, que abarcaba desde China hasta las puertas de Europa en Georgia y Ucrania, el comercio a lo largo de la Ruta de la Seda volvió a ser seguro y rentable de nuevo.

Debido a que un sucesor de Gengis Kan solo podía ser elegido de su línea de sangre por un *kurultai*, la reunión de los posibles candidatos llevó tiempo, ya que tuvieron que ser convocados desde los confines del Imperio mongol. Finalmente, Ogedei, el tercer hijo de Gengis, fue nombrado como el siguiente Gran Kan, gobernando desde 1229 hasta 1241. Entre sus cortesanos había guerreros de su familia que se distinguieron con cadenas de victorias que expandieron enormemente el imperio y el comercio. Corea fue conquistada en 1236, empujando así la Ruta de la Seda hacia el este. Los sucesores de Ogedei Kan como Gran Kan anexaron el Tíbet alrededor de 1250. Esto dio lugar a un mayor movimiento de bienes e ideas desde el Tíbet, que se movió a lo largo de una ruta de la Ruta de la Seda que se dirigía hacia el norte y el este de China.

Los mongoles renovaron los ataques a los emperadores chinos Song, que lograron mantener a raya a los ejércitos mongoles desde 1234 hasta 1279. En el oeste, en 1236, los mongoles bajo el liderazgo de Ogedei Kan obligaron a los georgianos cristianos a convertirse en vasallos del estado mongol. Esto permitió la extensión de una ruta segura de la Ruta de la Seda hasta la frontera con la Europa cristiana. Los armenios también habían caído bajo el dominio de los mongoles como aliados en su lucha por resistir la imposición del islam en su estado. En 1254, Haitón I, el rey de Armenia (r. 1226-1270), sometió su reino al protectorado mongol. Para confirmarlo, envió a su hermano Sempad a Karakórum en 1247, que fue la capital mongola de 1235 a 1260. (Karakórum estaba en lo que hoy es la provincia de Övörhangay de Mongolia, cerca de la moderna ciudad de Kharkhorin). Sempad no viajó hacia el este a lo largo de la Ruta de la Seda, sino que fue por mar a la corte del Imperio mongol. El acuerdo entre Armenia y Ogedei Kan fue ratificado en 1254 cuando el rey Haitón viajó por tierra a través de Asia a lo largo de la Ruta de la Seda para encontrarse con el Gran Kan. Su viaje fue registrado en un texto, *El viaje de Haitón, rey de la Pequeña Armenia, a Mongolia y su regreso*, por el historiador de la corte armenia Kirakos Gandzaketsi (c. 1200-1271). La historia del viaje se hizo popular en Europa y Rusia, donde había un gran interés en el Imperio mongol, la corte del Gran Kan, y el comercio a lo largo de las rutas terrestres de las exóticas culturas orientales. Entre los más particularmente atraídos por el relato estaban los comerciantes y mercaderes, que buscaban obtener la mayor cantidad de información posible sobre la Ruta de la Seda antes de comprometerse en lo que creían que serían empresas rentables hasta el asiento del poder del poderoso Imperio mongol.

La región noroeste del Imperio mongol se separó del control de la corte mongola en Karakórum en 1259. Se convirtió en un kanato separado conocido como el Kanato de Kipchak o el Ulús de Jochi.

Este último nombre se aplicó porque la región del Imperio mongol, incluyendo el sur de Rusia y Kazajstán, había sido dada por Gengis Kan a su hijo mayor Jochi. Cuando Jochi murió, la zona pasó a estar bajo el control de su hijo, Batú Kan. En 1235, Batú dirigió su ejército hacia el oeste, capturando el Volga Bulgaria, un estado en la confluencia de los ríos Volga y Kama, en 1236 y parte de la estepa ucraniana en 1237. La península de Crimea fue conquistada por los mongoles en 1238. Batú se trasladó entonces hacia el norte a la "Rus" de Kiev e invadió Polonia y Hungría y sitió Viena.

Cuando se dio cuenta de que se enfrentaba a un enemigo más fuerte, Batú se retiró de Viena. Mientras lo hacía, puso a Bulgaria bajo el control de los mongoles. Fue bajo el reinado de Batú Kan (r. 1227-1255) que el Imperio mongol, que estaba a las puertas de Europa y Rusia, se conoció como la Horda de Oro. Este nombre apareció por primera vez en los textos rusos que datan de mediados del siglo XVI; sin embargo, los orígenes de la designación permanecen envueltos en el misterio. Se sospecha que la palabra "horda" se derivó de la palabra mongólica *ordu*, que significa campamento o cuartel general. La denominación "de oro" puede haberse derivado de la tienda de oro utilizada por Batú Kan.

Con el Imperio mongol tan cerca del corazón del comercio europeo, es comprensible que los comerciantes de las ciudades-estado recién surgidas de Italia, así como los diversos ducados y reinos de otras regiones de Europa, empezaran a mirar hacia el Este en busca de beneficios. Esta expansión del comercio con el Este a lo largo de la continuamente alargada Ruta de la Seda fue incluso utilizada por la Iglesia católica, ya que los clérigos se unieron a las misiones comerciales como un medio para aumentar la autoridad papal a través del trabajo misionero.

El peligro inminente que representaba para Europa la Horda de Oro y, de hecho, para todos los mongoles, que en Occidente se conocían colectivamente como los tártaros, fue señalado por el papa Alejandro IV (pontífice de 1254 a 1261). Su proclamación a lo que se denominó "naciones civilizadas" tenía por objeto aumentar la conciencia de la amenaza de Oriente. Escribió: "Suena en los oídos de todos... una terrible trompeta de terrible advertencia que... [del] azote de la ira del Cielo en las manos de los inhumanos tártaros, que estalla como desde los confines secretos del Infierno". Este tipo de alarmismo tuvo poco efecto en los comerciantes cristianos impulsados por la avaricia y no por la pureza religiosa.

La expansión de la Horda de Oro por Batú Kan, en efecto, allanó el camino para que los europeos recorrieran toda la extensión de la Ruta de la Seda a través de territorios bajo el control de una sola autoridad. El Imperio mongol, que se extendía de Europa a China, facilitaba los viajes y el comercio a través de una serie de reinos y culturas menores que, en el pasado, habían obstaculizado el libre paso para el comercio. Todas las diferentes entidades tribales, étnicas y políticas a lo largo de la Ruta de la Seda, que ahora estaban bajo el estricto control de los mongoles, ofrecían un paso seguro a los viajeros y comerciantes.

En Europa, el surgimiento de los mongoles, o tártaros como se les conocía allí, fue notado por los líderes de la iglesia. Un fraile dominico de Hungría en un viaje a la Rusia controlada por los mongoles en 1235 informó que los mongoles estaban a punto de conquistar Roma y así reclamar la dominación mundial y por consiguiente destruir la Iglesia cristiana. Según los europeos de la época, los mongoles eran bestias del más vil carácter que se empeñaban en una serie de tramas para perturbar el Cercano Oriente y la propia Europa. El papa Gregorio IX (pontífice de 1227 a 1241) intentó y fracasó en la organización de una cruzada contra los mongoles. En marzo de 1245, el papa Inocencio IV (pontífice de 1243 a 1254) escribió cartas al "rey y a los pueblos de los tártaros", explicando la doctrina cristiana y pidiendo una explicación de los ataques de los mongoles contra los pueblos cristianos. Estas debían ser presentadas por dos grupos de frailes. Uno de ellos viajaría al Cercano Oriente a lo largo de la Ruta de la Seda para buscar a los líderes de las fuerzas mongolas, mientras que el otro viajaría a través de Polonia y Rusia para entregar los mensajes al líder de los mongoles en Asia.

Después de pasar por Tierra Santa, el fraile dominico, André de Longjumeau, llegó a Tabriz (en el noroeste de Irán). Entregó las misivas del papa a Bayju Noyon, el líder de las fuerzas mongolas en Armenia y Persia. A lo largo de la ruta norte hasta el cuartel general de los mongoles, el dominico Ascelin de Cremona, como jefe de la delegación papal, viajó al campamento de verano de Bayju en las tierras altas de Armenia en 1245. Allí hizo traducir las cartas del papa al persa y se aseguró de que fueran enviadas a la corte del Gran Kan en Karakórum, en Asia Central.

También se envió una tercera embajada a los mongoles. Esta fue dirigida por el fraile franciscano Giovanni da Pian del Carpine. Partiendo de Lyon en 1245, a los embajadores se les unió un franciscano polaco, el hermano Benedicto, que podría actuar como traductor cuando el grupo pasara por las tierras de habla eslava. Se reunieron con Batú Kan y entregaron cartas del papa. Él los convenció de que necesitaban proceder a la corte del nuevo Gran Kan, Güyük (r. 1246-1248), que era el nieto de Gengis Kan. Su viaje a lo largo de la Ruta de la Seda los llevó a través del antiguo Imperio khwarezmiano, donde vieron "muchas ciudades devastadas, castillos destruidos, aldeas desiertas", y a través de Kara-kitai, donde sufrieron el intenso frío. Finalmente llegaron al campamento de Güyük cerca de Karakórum en 1246.

En el campamento, los franciscanos fueron testigos de las ceremonias que rodearon la entronización de Güyük, el nuevo Gran Kan. Fray Giovanni da Pian del Carpine registró que fue su observación que el Gran Kan era un hombre muy inteligente. También señaló que los cristianos (nestorianos) que servían en su casa creían que pronto se convertiría al cristianismo. A pesar de esto, la respuesta de Güyük al papa Inocencio IV fue una refutación inflexible de la posición del papa. Güyük escribió que rechazaba la demanda del papa de que los mongoles se convirtieran al cristianismo y aceptaran el poder superior del papado.

¿Cómo puede saber a quién perdona Dios, a quién muestra misericordia? Por el poder de Dios, desde el amanecer hasta el anochecer, nos ha entregado todas las tierras... Ahora dice con un corazón sincero: "Nos convertiremos en su súbdito...". Usted en persona, a la cabeza de los reyes, debe venir todos juntos a rendirnos homenaje. Entonces reconoceremos su sumisión.

La embajada del papa regresó a lo largo de la Ruta de la Seda vía Kiev, a la que llegaron el 9 de junio de 1247. En el curso de su viaje, el fraile Giovanni y su grupo habían cubierto unos 6.000 kilómetros. Mientras que los enviados del papa Inocencio IV pueden haber sido infructuosos en convencer al Gran Kan de la supremacía de la Iglesia cristiana en Roma, el fraile Giovanni, en su relato de su viaje, *Ystoria Mongalorum*, escribió descripciones muy útiles de las tierras por las que pasó su misión. La *Ystoria Mongalorum* es la primera crónica europea de la historia de los mongoles, y fueron crónicas como esta las que ayudaron a motivar a los comerciantes europeos a buscar las fortunas que ofrecía el comercio con Oriente.

La introducción al texto de Giovanni revela lo que se convirtió, para los europeos, en los comienzos del conocimiento de los mongoles, que representaban una grave amenaza para el mundo cristiano. Giovanni escribió, "Deseando escribir un relato de los tártaros en el que los lectores puedan encontrar su camino, lo dividiremos en capítulos". Estos capítulos tratan sobre la descripción del país de los mongoles y los pueblos y religiones del Imperio mongol. En el capítulo final, Giovanni discutió "cómo se debe hacer la guerra contra ellos". El detalle del relato de Giovanni es significativo. Bajo la rúbrica de los métodos de guerra de los mongoles, describe la organización de su ejército, armas, armaduras y tácticas de asedio. Sus observaciones antropológicas incluyen, entre otras cosas, costumbres matrimoniales, comida, ropa y prácticas de entierro. Con respecto a la geografía del Imperio mongol, Giovanni solo habla de lo que observó en su viaje hacia y desde Karakórum. La información que Giovanni había recogido en su viaje circuló a través de conferencias que dio a sus compañeros franciscanos.

El siguiente contacto registrado entre los mongoles y los europeos tuvo lugar en diciembre de 1248 cuando dos cristianos nestorianos del Imperio mongol llegaron a Chipre, donde el rey Luis IX de Francia (r. 1226-1270) se preparaba para su cruzada contra los musulmanes en Egipto. Los emisarios dijeron falsamente que el general mongol Eljihidey, que comandaba las tropas en Persia, y el Gran Kan Güyük se habían convertido al cristianismo. Los embajadores también afirmaron que la madre de Güyük era la hija del Preste Juan, alguien que los europeos conocían bien por las leyendas populares. Todo esto era una buena noticia para los cruzados bajo el rey Luis, y buscaban afirmar la ayuda de los mongoles en su lucha contra los musulmanes. André de Longjumeau, ya habiendo hecho contacto con los mongoles, fue enviado a Tabriz con regalos apropiados, pero a su llegada, se enteró de que el Gran Kan Güyük había muerto. El general mongol Eljihidey envió a los embajadores a Karakórum, donde el regente, Sorgaqtani Beki, en medio de los preparativos para que su hijo ascendiera al trono imperial mongol, entendió que los regalos ofrecidos por los embajadores eran un símbolo de la sumisión de Francia y de la Europa latina al que pronto sería el Gran Kan. Sorgaqtani Beki envió entonces una carta a Luis IX, exigiéndole que se presentara en su corte y le rindiera el tributo apropiado.

Sin embargo, Luis, preocupado por otros asuntos, abandonó su intento de alianza con los mongoles. Un franciscano de su séquito, Guillermo de Rubruck, convenció al rey francés de que le permitiera viajar como misionero para ver a Batú y convencerle de que los mongoles de la Horda de Oro debían convertirse al cristianismo. Guillermo y un compañero, el fraile Bartolomeo de Cremona, partieron de Chipre en mayo de 1253. Pasaron por Constantinopla y navegaron a través del mar Negro hasta la península de Crimea.

Luego montaron a caballo, acompañados por una caravana, hasta el campamento de Sartaq, el hijo y eventual sucesor de Batú Kan. Sartaq los envió al campamento de Batú más allá del Volga, y Batú, a su vez, envió a los frailes a la corte del nuevo Gran Kan Möngke (r. 1251-1259) en Karakórum. Allí se les permitió permanecer durante seis meses. Sin embargo, Guillermo de Rubruck y su compañero no tuvieron éxito en sus objetivos misioneros.

En su relato de los mongoles, Guillermo de Rubruck describe muchos detalles de la vida en la capital, mencionando el uso del papel moneda chino, los escribas que escribían en caracteres chinos, y la apariencia y las prácticas de los monjes budistas. Guillermo también señala la presencia de europeos en la capital mongola, entre los que se encontraba un orfebre parisino que había hecho un árbol de plata y cuatro leones de plata para el palacio del Gran Kan. Según Guillermo, había doce templos paganos, dos mezquitas y una iglesia nestoriana en la capital, esta última utilizada por los húngaros, rusos, georgianos y armenios de la comunidad, así como algunos miembros de la propia familia del Kan. William no tuvo éxito en alcanzar su objetivo, la conversión del Gran Kan. Informó que el Gran Kan Möngke le había contado a William su creencia en la última conversación que tuvieron juntos. "Así como Dios ha dado diferentes dedos a la mano, también ha dado diferentes maneras a los hombres". Guillermo dejó atrás a su compañero el fraile Bartolomeo y partió de Karakórum con poco que mostrar por su celo misionero. Llegó al campamento de Batú en 1254, cruzó las montañas del Cáucaso y entró en Tierra Santa. Desde allí, envió su informe a Luis IX, que entonces estaba de vuelta en Francia. Su cruzada en Egipto había terminado con su captura por los musulmanes en 1250. Después de ser rescatado, pasó cuatro años en Tierra Santa antes de regresar a Francia.

Las descripciones de Guillermo de sus viajes a Karakórum y de regreso son mucho más detalladas que las de sus predecesores. Escribió con gran detalle sobre la geografía del Imperio mongol mientras viajaba a lo largo de la Ruta de la Seda. También describió las culturas y costumbres de las tierras por las que pasó y caracterizó las condiciones en los campos militares mongoles como espantosas. "No encuentro palabras para contarles la miseria que sufrimos cuando llegamos a los campamentos". Las miserables condiciones, escribió Guillermo, indicaban que los mongoles no serían una amenaza si el papa declaraba una cruzada contra ellos.

A mediados del siglo XIII, la información sobre el Imperio mongol era, a pesar de los registros de los emisarios del Oriente, a menudo incorrecta o escasa, y lo poco que había de ella no se difundió ampliamente. Se sabe que el cuarto Gran Kan, Möngke, renovó la expansión mongola. Junto con su hermano Kublai, comenzó a empujar a China. En Occidente, su hermano menor Hulagu (gobernante de Ilkanato de 1256 a 1265) invadió Irak y se hizo con el poder del Califato Abasí. Hulagu se trasladó a Siria y luego conquistó Alepo y Damasco en 1260, recibiendo el vasallaje de los nobles cristianos en esas ciudades. Se vio obligado a retroceder a Azerbaiyán al oír la noticia de la muerte de su hermano, el Gran Kan. Las fuerzas que Hulagu dejó atrás fueron derrotadas por el sultán mameluco de Egipto, Saif ad-Din Qutuz, en la batalla de Ain Jalut, cerca de Galilea, el 3 de septiembre de 1260. Fue esta batalla la que acabó con la creencia en Occidente de que los mongoles eran invencibles.

Mientras todo esto ocurría, la Ruta de la Seda había sido recorrida por varios europeos, casi exclusivamente emisarios de la Iglesia cristiana, que dejaron registros de sus viajes. Se sabe que el viaje a Oriente fue realizado por muchos otros también, principalmente comerciantes, que no dejaron registros. El hecho de que en los relatos se mencione a los comerciantes europeos como presentes en Oriente no es sorprendente, ya que, durante algún tiempo, bajo los auspicios del Imperio mongol, la Ruta de la Seda se había convertido en algo que se asemeja a una autopista moderna, aunque con menos tráfico, por supuesto.

Fue en la última mitad del siglo XIII que uno de los viajeros más deslumbrantes de la Europa medieval dejó un registro de su viaje. Muchos lectores estarán familiarizados con el nombre de Marco Polo, que viajó al este a lo largo de la Ruta de la Seda para visitar la legendaria corte del Gran Kan. Su anfitrión y empleador en Oriente no fue otro que el guerrero Kublai Kan, que expandió el Imperio mongol, perdió las primeras grandes batallas más allá de las fronteras mongolas y fue el fundador de una dinastía china de emperadores.

# Capítulo 8 - El Señor de Xanadú, Kublai Kan: El emperador de China

La ascensión al trono del Gran Kan por el nieto de Gengis Kan, Kublai, que tenía cuarenta años, en 1260 marcó el comienzo de una nueva era en la historia de Mongolia. El Imperio mongol no solo se expandió y se convirtió en un estado imperial altamente organizado, sino que también alcanzó un pico de sofisticación antes de que el imperio comenzara a desmoronarse. Fue la época en que la ruta terrestre de oeste a este a lo largo de la Ruta de la Seda experimentó su mayor nivel de actividad antes de ser gradualmente reemplazada por el comercio marítimo.

Kublai, que nació en 1215, fue criado bajo la tutela de una niñera budista. En su juventud, se enamoró de la cultura china. Debido a que era un príncipe menor, uno de los muchos en la extensa familia de descendientes de Gengis Kan, no se esperaba que tuviera un papel importante. Kublai, en su juventud, es mencionado aquí y allá en las crónicas de sus tíos y abuelo, *La Historia Secreta de los mongoles*, que fue escrita después de la muerte de Gengis Kan. Lo poco que se registra sobre la juventud de Kublai es gracias a la amplia importancia de su madre, Sorgaqtani Beki.

Para pacificar al pueblo rebelde de la estepa Kerait, Gengis Kan arregló que su hijo menor, Tolui, se casara con Sorgaqtani, la hija del líder de la insurrección Kerait. Esta alianza matrimonial produjo cuatro hijos, entre los cuales estaba Kublai. Sorgaqtani, tras la muerte de su marido, asumió el poder y promovió la religión de su familia, el cristianismo nestoriano. Algunos en Occidente creían que era su tío el legendario rey cristiano Preste Juan. Si el tío de Sorgaqtani era cristiano o no, es poco probable que viajara al oeste con un ejército para ayudar a los cruzados.

El ascenso de Kublai Kan al trono del Imperio mongol no fue sencillo. El asunto de la sucesión después de la muerte de Gengis Kan era como uno esperaría en un imperio recién formado complicado. El hijo mayor de Gengis Kan, Jochi, que parecía el sucesor más probable, falleció antes que su padre, y sus hijos no hicieron ningún esfuerzo por asumir el poder. Antes de morir, Gengis Kan había decretado que su tercer hijo, Ogedei, le sucedería si era digno. Cuando Gengis murió, sus hijos y nietos lucharon para determinar quién era digno de asumir el liderazgo del Imperio mongol. Ogedei prevaleció en un *kurultai*, o reunión del consejo, y se puso a cambiar la administración del Imperio mongol. Al convertir la administración más o menos caótica en algo más civilizado, Ogedei instituyó un sistema postal montado, construyó graneros e instituyó impuestos sobre la propiedad. El sistema postal, que funcionaba a través de una especie de "pony express", requería la construcción de caminos a lo largo de los cuales los mensajeros montados podían cubrir hasta 250 millas al día. Estas carreteras también servían para facilitar el transporte de mercancías de una región a otra.

El Gran Kan Ogedei, con la ayuda de su familia, incluida la de Kublai, intentó estabilizar territorios fuera de la propia Mongolia. Al hacerlo, se aseguraron de que los mongoles se mantuvieran financieramente, aliviando así la necesidad de un constante pillaje de las tierras fronterizas para proporcionar suficiente comida a su pueblo.

Ogedei desarrolló además un lugar marcado por su abuelo como una capital mongola adecuada, que Gengis Kan había llamado Karakórum o "Roca Negra". Fue allí donde Ogedei estableció una ciudad con cuatro paredes de tierra apisonada y un palacio interior para la realeza mongola. Karakórum nunca llegó a ser una ciudad importante, pero su adyacencia al monasterio budista Erdene Zuu y su situación en el valle de Orjón, que les permitía estar cerca de los pueblos Xiongnu y Uigur, permitieron el establecimiento de una nueva autoridad centralizada para el Imperio mongol. Los caudillos mongoles establecieron campamentos alrededor de la ciudad, y se dice que el propio Ogedei levantó allí su palacio portátil cuando no estaba en guerra en otro lugar. Al parecer era un carro de diez metros de ancho, tirado por 22 bueyes.

Desde Karakórum, los mongoles controlaban el norte de China a través de una especie de primer ministro, un chino llamado Yelü Chucai. El éxito de la gestión de Yelü Chucai en China está indicado por el hecho de que entregó alrededor de mil lingotes de plata de ingresos fiscales en 1230. La importancia del Karakórum en la vida mongola, a pesar de ser la capital, era mínima. Según la costumbre mongola, era el deber del hijo menor de un guerrero permanecer en casa y gestionar los asuntos familiares, principalmente el pastoreo del ganado familiar en lo que se convirtió en tierra de pastoreo excesivo. Se esperaba que los hijos mayores fueran a la guerra, saquearan a los enemigos, se ocuparan de las revueltas y, en general, trabajaran para ampliar el control mongol en todas partes. Ogedei, por lo tanto, libre de mantener la corte en Karakórum, estaba en libertad de liderar un ejército para atacar el norte de Corea, que se había obstinado en mantener alejado el dominio mongol. Ogedei también envió un ejército a Irán para ocuparse de los turcos selyúcidas que quedaban allí, y él mismo dirigió un ejército en incursiones regulares contra China. Un bebedor empedernido como la mayoría de los mongoles,

Ogedei fue golpeado con una parálisis, tal vez un derrame cerebral, que fue causado por la intemperancia. Fue tratado por chamanes, que exigieron la transferencia de la aflicción a Tolui, el hermano menor de Ogedei. Es probable que el tratamiento implicara el consumo de grandes cantidades de alcohol por parte de Tolui, que murió en el proceso en 1232. Ogedei, quien estaba severamente debilitado, continuó gobernando por otros veinte años.

Durante esos veinte años, Sorgaqtani, la esposa de Tolui, se negó a volver a casarse, lo cual era la costumbre entre los mongoles. Se convirtió en la mujer mongola más poderosa, habiendo legado a su marido una considerable cantidad de tierras, lo que significaba que era tanto rica como poderosa. El hijo de Sorgaqtani, Kublai, fue criado en un ambiente diferente al de la mayoría de los guerreros mongoles. En lugar de seguir a su padre a la guerra, llevó una vida sedentaria practicando la caza y las artes de la guerra en las estepas alrededor de Karakórum. Se le proporcionó un tutor uigur de Asia Central y aprendió a leer la escritura turca utilizada por los mongoles.

Sorgaqtani, en algún momento, trasladó a su familia y a la corte a la provincia de Hebei en China. Este era un territorio que le pertenecía por derecho, ya que había sido conquistado por su difunto marido. Hebei, sin embargo, estaba en ruinas no solo por la invasión mongola, sino también porque muchos de sus residentes habían huido al sur de la China de los Song para escapar del dominio mongol. Más chinos fueron forzados a salir de Hebei cuando los mongoles instituyeron el castigo de los impuestos sobre ellos. Se cree que la región, que una vez fue hogar de cuarenta millones de personas, se había reducido a tener alrededor de diez millones de habitantes. El gobierno de Sorgaqtani en Hebei era mucho más humano que el control mongol medio sobre otros pueblos. Sorgaqtani, como cristiana nestoriana, era tolerante y financiaba los establecimientos de otras religiones. Su administración también animó a los agricultores chinos a seguir cultivando la tierra. Las condiciones allí eran tan favorables que algunos chinos regresaron del Imperio Song en el sur. Al facilitar la agricultura, Sorgaqtani iba en contra de la costumbre mongola de entregar las tierras de cultivo capturadas a los pastores nómadas, que convertían las granjas antes productivas en pastos. En 1240, cuando su hijo Kublai tenía veinte años, Sorgaqtani le dio la región de Jingzhou en el sur de Hubei a orillas del río Yangtsé. Al principio, Kublai descuidó su propiedad, y esta cayó en la ruina. Sus ingresos fiscales fueron robados por agentes de los mongoles y por lo tanto no se le entregó a Kublai como debería haber sido. En un esfuerzo de reforma, Kublai tomó una página del libro de administración de su madre y regularizó la gestión de su patrimonio a través de agentes chinos, a los que se les encargó reducir los impuestos y fomentar la agricultura. La población de Jingzhou aumentó a medida que los refugiados regresaban a sus tierras.

Cuando en 1241 Ogedei Kan finalmente bebió hasta morir, la noticia de su muerte llegó a Occidente. Sabiendo que su líder sería convocado a un *kurultai* en Karakórum, la horda mongola en Hungría se retiró del frente, quitando así la presión de Europa. La esposa de Ogedei, Töregene, comenzó su reinado extraoficial mientras esperaba la convocatoria de un *kurultai*; durante su gobierno, hubo fricciones religiosas entre sus consejeros debido al exceso de impuestos que instituyeron sus recaudadores de impuestos musulmanes. Nada de esto afectó a Kublai en sus propiedades, que gobernó con cierta magnanimidad y eficiencia inusual. La madre de Kublai, la ahora muy poderosa Sorgaqtani, se alió con la regente y la Gran Töregene Khatun, y se creía que Sorgaqtani sería su aliada en las deliberaciones del *kurultai*. La reunión, que se celebró en 1246, resolvió el asunto de la sucesión al trono nombrando al hijo mayor de Ogedei Kan, Güyük, para el cargo.

El fraile Juan de Plano Carpini informó sobre el tipo de vivienda que era común entre los mongoles más elevados, y describió la tienda de Töregene en Karakórum en el momento de la reunión real. "Después de cinco o seis días, él [Güyük] nos envió a su madre [la emperatriz Töregene], bajo la cual se mantenía una corte muy solemne y real. Cuando llegamos allí vimos una enorme carpa de tela blanca y fina, que era, a nuestro juicio, tan grande que más de dos mil hombres podían estar de pie dentro de ella, y alrededor de ella se montó un muro de tablas, pintadas con diversos diseños". El fraile Juan describió la conferencia de los mongoles desde lo más cerca que pudo de la carpa que albergaba el *kurultai*, observando los muchos dignatarios que pululaban por la entrada. "Sin la puerta estaba el duque Yaroslav de Susdal, en Rusia, y muchos duques de los Catayes y de los Solands. Los dos hijos también del rey de Georgia, un embajador del Califa de Bagdad, que era sultán, y creemos que más de diez sultanes de los sarracenos a su lado".

Es evidente que en el momento de esta conferencia de la realeza y de los líderes mayores y menores del Imperio mongol, el viaje a lo largo de la Ruta de la Seda se había convertido, si no en algo común, al menos en algo seguro para las partes que tomaban la precaución de ir acompañadas por guardias armados. El fraile Juan afirmó que unos cuatro mil enviados, que hablaban muchos idiomas diferentes de todas partes del Imperio mongol, asistieron a la coronación del nuevo Gran Kan Güyük. Tuvo lugar en un nuevo campamento establecido a cierta distancia de Karakórum. En el centro había, según el fraile John, una enorme carpa llamada la Horda de Oro. Desafortunadamente, en la fecha fijada para el trascendental evento, una destructiva tormenta de granizo golpeó, y las ceremonias fueron canceladas. Una semana después, dentro de los confines de la Horda de Oro, los príncipes de la familia real, entre los que se encontraba Kublai, realizaron un ritual de sumisión ante el nuevo Gran Kan. Inmediatamente después de la ceremonia, el Gran Kan Güyük, posiblemente a instancias de su madre, celebró un juicio espectáculo en el que sus tías fueron acusadas de matar a su padre. Fueron ejecutadas sumariamente.

El fraile John informó de su propia experiencia con la ira del nuevo Kan y su madre. Escribió que el duque ruso Yaroslav fue invitado a un banquete con Töregene. "Inmediatamente después del banquete, cayó enfermo, y en siete días murió. Después de su muerte, su cuerpo era de un extraño color azul, y se informó comúnmente que el duque había sido envenenado". Las acusaciones se dirigieron contra los supuestos enemigos del Kan y su madre. Todo llegó a su fin cuando el propio Güyük fue asesinado o bebió hasta morir en 1248. Es posible que el Gran Kan fuera envenenado por su hermano Batú, que había sido convocado para viajar desde el oeste para presentarse en la corte de Karakórum. Cualquier pensamiento de represalias contra la oposición del Kan terminó con la muerte de Töregene, que murió en circunstancias sospechosas en 1265, en algún momento después de la entronización de Kublai Kan.

Batú, que disfrutaba de su papel en el occidente del imperio, llamó a dos *kurultais* de la realeza para elegir un nuevo Kan. En el segundo, en 1251, el hijo mayor de Sorgaqtani, Möngke (r. 1251-1259), fue declarado el Gran Kan. Un vistazo a la corte del Gran Kan Möngke se da en el relato de Guillermo de Rubruck sobre su viaje a Oriente. Su audiencia con el Gran Kan no fue bien, ya que Möngke estaba distraído y borracho durante su reunión. Sin embargo, en sus exploraciones del Karakórum, Guillermo conoció a algunas personas interesantes. Entre ellos estaba una mujer llamada Paquette que vino de Metz, en Francia. Ella le informó que había sido capturada en Hungría y enviada a Karakórum, donde se convirtió en la esclava de un guerrero mongol. De alguna manera escapó de este horror y se unió al séquito de una princesa cristiana mongola. Paquette se casó más tarde con un carpintero ruso y tuvo tres hijos. Guillermo también informó sobre otro occidental que prosperó en Karakórum, un orfebre parisino llamado Guillermo Bouchier, que había sido capturado en Europa e instalado por Möngke como jefe de un taller con cincuenta artesanos.

El modo del Gran Kan Möngke de prevenir las disputas y revueltas domésticas entre las facciones mongolas era hacer lo que los mongoles siempre habían hecho: conquistar nuevas tierras. Con la mirada puesta en hacer más conquistas en China, Möngke nombró a uno de sus parientes que había demostrado gran habilidad en la pacificación de los chinos. Así, nombró a Kublai vicerregente sobre el norte de China, que Kublai gobernó con gran perspicacia, llegando incluso a reclutar a caudillos chinos para que le ayudaran en las guerras. En 1253, Kublai recibió la orden de atacar Yunnan en el suroeste de China. En este esfuerzo, tuvo un éxito notable. En 1256, consiguió pacificar Yunnan y lo puso bajo el control de los mongoles. En 1258, Kublai fue puesto a cargo del ejército mongol del este y se le ordenó atacar Sichuan. Su método de aproximación a la provincia fue único. Los chinos habían despoblado una vasta franja de territorio intermedio para que ninguna fuerza invasora mongola pudiera saquear suficiente comida para llevar su ejército a China. Kublai contrarrestó esta estrategia alentando a los agricultores a inmigrar a las tierras baldías, proporcionándoles semillas y herramientas. Envió a los soldados chinos que se habían unido voluntariamente a su ejército a los campos para ayudar con la agricultura. Además, instituyó el uso de papel moneda, que facilitó el comercio a lo largo de las fronteras y alentó la migración de los agricultores a la región.

Kublai planeaba derrotar a los chinos Song, que se aferraban al poder en el sur de China, flanqueándolos. En 1253, se trasladó al reino budista de las montañas de Dali, que se extendía a ambos lados de los ríos Yangtsé, Mekong y Salween. El reino de Dali estaba en la principal ruta comercial de la India a Annam (Vietnam). Sin embargo, los enviados de Kublai a la corte de Dali, que llevaban una oferta de paz, fueron asesinados. De acuerdo con la costumbre mongola, esta era una ofensa capital que merecía la completa aniquilación de la nación malvada. Sin embargo, Kublai estaba persuadido de que este no era un enfoque útil para el pueblo de Dali. En su lugar, rodeó la capital de Dali y exigió su capitulación. El rey se rindió, y Kublai capturó a los responsables de la matanza de sus enviados, que fueron rápidamente ejecutados. El rey de Dali, siendo él mismo inocente del crimen, se salvó y quedó a cargo de su ciudad con un mongol como su segundo al mando. Kublai se movió hacia el norte desde el territorio derrotado que los mongoles habían llamado Yunnan, que significa el sur de las nubes. La lenta conquista de las dispersas tribus de las colinas y la eventual incursión en el Tíbet fue entregada al general de Kublai, Uryangkhadai, que también fue responsable de las derrotas mongolas en Annam (Vietnam). En 1257, Uryangkhadai llegó hasta Hanoi, donde arrasó la ciudad y obligó al primer emperador de la dinastía Trần, Trần Thái Tông, a evacuar la capital. Un contraataque dirigido por Thái Tông tuvo éxito. El ejército mongol, agotado por las enfermedades en un clima al que no estaban acostumbrados, se vio obligado a abandonar rápidamente Annam. Thái Tông envió entonces una embajada al Gran Kan Möngke, ofreciéndole un tributo anual, que cedió más o menos Annam a los mongoles, pero solo de forma simbólica.

De regreso a sus tierras en el norte de China, Kublai continuó siguiendo un camino algo iluminado, inspirado en las prácticas chinas, para establecer un estado estable. Nombró a eruditos confucianos para su corte y alentó la caza de adivinos, que eran un azote según la ortodoxia confuciana. Su habilidad para escuchar los consejos de sus más prominentes consejeros confucianos y su voluntad de seguirlos se hizo sospechosa en la capital mongola de Karakórum, donde se pensaba que Kublai era un sinófilo traidor. Sin embargo, la civilización china no le sedujo del todo, ya que se negó a instituir el sistema de educación china y el sistema chino de exámenes para puestos en la administración pública. La razón de la negativa de Kublai al sistema chino fue que quería retener a sus recaudadores de impuestos musulmanes y utilizar ingenieros cristianos nestorianos. Además, Kublai habría sido receloso de encabezar una burocracia donde el chino, un idioma que solo podía dominar de forma rudimentaria, era la lengua franca.

Cuando se trataba de subyugar a toda China, Kublai se enfrentaba a dos oponentes. En el norte, el pueblo Jurchen, que se había originado en Manchuria y había fundado la dinastía Jin. A pesar de haber sido conquistados en 1234, continuaron presentando un peligro en forma de revuelta. Con los Jurchen pacificados en gran medida,

Kublai solo se enfrentó a los Song del Sur en sus ambiciones de anexionar toda China al Imperio mongol.

Para consolidar su control sobre el norte de China, Kublai propuso construir un palacio allí. Se seleccionó un sitio a unas 170 millas al norte del moderno Beijing. El sitio se llamó primero Kaiping, que significa abierto y plano, pero posteriormente se cambió a Shangdu, o capital superior. El nombre sería mezclado en varias variantes por los europeos, incluyendo Chandu y Xamdu. Este último nombre se metamorfoseó en lo que se convirtió en el legendario Xanadú. El notable palacio de Kublai es más conocido en el mundo moderno a través del poema de Samuel Taylor Coleridge, escrito en 1797. Comienza: "En Xanadú hizo Kubla Kan construir una maravillosa cúpula del placer". El palacio de Kublai estaba rodeado por un enorme parque, donde ejercía su pasión por la caza. En el parque, Kublai tenía la costumbre de alojarse en una yurta, el tipo de tienda en la que habían vivido sus antepasados en Mongolia.

A pesar de vivir una gran vida en su nuevo palacio, Kublai seguía sometido al Gran Kan Möngke. De hecho, sus cuentas fueron auditadas por subordinados del Gran Kan. Al encontrar irregularidades en los libros de Kublai, varios de sus burócratas chinos fueron ejecutados.

Kublai fue a su hermano Möngke en Karakórum, y sus diferencias fueron arregladas en 1258. Möngke ordenó a Kublai que se quedara en su palacio de Chandu mientras que el propio Möngke se movía contra los Song del Sur a la cabeza de un gran ejército. La invasión no fue bien, y Möngke se vio obligado a llamar a su hermano, a quien reconoció como un hábil comandante.

En este momento, la corte mongola casi se derrumbó debido a las luchas internas entre los adherentes de las religiones rivales. Sus números estaban constantemente en flujo con las llegadas y salidas de personas religiosas que se movían a lo largo de la Ruta de la Seda. Con la caída del Tíbet al control de los mongoles, los budistas que eran hábiles en los trucos de magia se infiltraron en las cortes de

Möngke y Kublai. Se enfrentaron a los budistas Chan (budistas Zen), que ya estaban instalados en la casa real, y se opusieron a los taoístas y confucionistas, que se oponían firmemente a todo lo que tuviera parecido a la brujería. En los tribunales mongoles, debido a la política de tolerancia religiosa, el debate religioso era muy intenso. En la década de 1250, los taoístas afirmaron que el budismo no era más que una secta de su propia religión. Reforzaron su argumento citando el *Libro* Taoísta de *Conversiones Bárbaras*, o el *Huahujing*, que se dice fue escrito por Laozi, que vivió en algún momento entre los siglos VI y IV a. C. Se decía que Laozi viajó a la India, donde se regeneró en el buda. El budismo fue visto como una mera forma engañosa del taoísmo. Los eruditos budistas de la corte del Gran Kan, en aquel entonces, retrocedieron en la vida de buda para que precediera a cualquier posible contacto con Laozi, el fundador del taoísmo, y declararon que el budismo era la única religión verdadera. La disputa religiosa tuvo efectos en el mundo real con diferentes comunidades religiosas despojando los monasterios y templos de sus oponentes. Möngke, reconociendo la comprensión de Kublai de la forma china de hacer las cosas, designó a su hermano para convocar un debate entre los budistas y los taoístas. En 1258, el debate religioso, con Kublai en la silla del juez, se llevó a cabo. Kublai, aunque parece haber adoptado a un tibetano llamado Drogön Chögyal Phagpa como su gurú personal, estaba a favor del argumento budista. Una vez resuelta la disputa religiosa en los tribunales mongoles, el Gran Kan Möngke se preparó para conquistar el Sur de Song de una vez por todas. Möngke iba a atacar a los Song desde el oeste, y Kublai iba a dirigirse al sur en el invierno de (1258-1259) desde Chandu con un ejército de 90.000 hombres.

Al llevar a cabo la profecía de Gengis Kan de que los mongoles gobernarían el mundo entero, Möngke entendió que su expedición exigiría un tipo de guerra no mongol. Reclutó ingenieros musulmanes que estaban familiarizados con el asedio de ciudades en preparación para un ataque a las ciudades urbanas más grandes del mundo, como Hangzhou, la capital temporal de los Song del Sur, que tenía una población de alrededor de un millón y medio de habitantes. Mientras Kublai y su ejército barrían el sur en el territorio de Song, su hermano Möngke se empantanó en la lucha en el oeste. Möngke, aunque intentó escapar del oeste plagado de enfermedades, cayó víctima del cólera y murió en 1259 a la edad de 51 años. Yendo en contra de la costumbre mongola, que exigía una retirada y un posterior *kurultai* para nombrar un nuevo Gran Kan, Kublai optó por continuar su avance hacia el sur a través del Yangtsé. Un emisario de los Song ofreció pagar a los mongoles con un tributo anual de plata, alfombras, sedas finas y brocados si detenían su avance.

En su casa en Karakórum, Kublai se enfrentó a la oposición. Se vio obligado a retirarse de sus tierras conquistadas de Song y asistir al *kurultai* mongol para asegurarse de que ascendía al trono del Gran Kan. Se celebraron dos conferencias en 1260, y Kublai fue declarado el siguiente Gran Kan en la primera de ellas. Los resultados fueron discutidos, y se convocó un segundo *kurultai*. El segundo eligió a Ariq Bök, el hermano de Kublai. El reclamo de Kublai fue reforzado por la llegada de emisarios de Corea, que aún no estaba completamente subyugada. Juraron lealtad a Kublai y acordaron desmantelar sus defensas que durante tanto tiempo habían frenado a los invasores mongoles. Sin siquiera hacer un ataque total a Corea, Kublai había añadido fortuitamente Corea al Imperio mongol.

En la primera etapa de su guerra civil con su rival, Ariq Bök, por el título de Gran Kan, Kublai cortó las rutas comerciales que iban de Karakórum al sur, que suministraban alimentos a la capital mongola. La disputa alcanzó su punto culminante en 1261 cuando, en un campo de batalla al borde del desierto de Gobi, el ejército de Ariq Bök fue derrotado por Kublai. El rebelde Bök continuó luchando hasta que le quedó claro que Kublai tenía la ventaja. Los dos se reconciliaron en Chandu en 1264, pero su amistad duró poco. Bök fue puesto a prueba, pero fue pospuesto poco después de comenzar, ya que requería la asistencia de los príncipes mongoles. Algunos de ellos estaban tan lejos como el Oriente Medio, pero su presencia era necesaria para un *kurultai* final que seleccionaría definitivamente al Gran Kan. Después de dos años en prisión esperando la convocatoria de una conferencia de la familia real completa, Bök murió. Algunos sospecharon que fue envenenado. Sea lo que sea que haya sucedido, Kublai se convirtió en el indiscutible Gran Kan.

La corte de Kublai, que contaba con una mayoría de burócratas y asesores chinos, asumió el reto de cómo Kublai Kan debía gobernar el Imperio mongol. Puede que fuera la esposa preferida de Kublai, Chabi, la que le animó a emular la administración del antiguo Imperio chino Tang. Debido a su encaprichamiento con la China Tang, Kublai y Chabi decidieron que la mejor manera de que el Gran Kan gobernara China no era como conquistador mongol. Más bien, para asegurar su dominio sobre la parte china de su imperio, Kublai tendría que "volverse nativo" y adoptar el modo de gobierno chino.

Entre los aliados de Kublai en la invasión de los Song del Sur estaba Li Tan, un funcionario de la provincia de Shandong de Mongolia. Dirigió un ejército en el sur y fue recompensado por sus éxitos al recibir el título de vicecomandante de un área de China del tamaño de la Francia actual. Aunque se le ordenó que no se moviera contra los Song del Sur, Li Tan resultó victorioso en varias escaramuzas con los Song. Se volvió contra Kublai, que estaba entonces preocupado por Ariq Bök. Li Tan soltó sus tropas en la esquelética guarnición de mongoles en Shandong y cedió algunas ciudades costeras fortificadas a los Song. Kublai envió dos generales para acabar con la insurrección de Li Tan, y en la primavera de 1262, Li Tan fue arrestado. Se informó de que "Cuando llegaron noticias al Gran Kan, este se alegró mucho y ordenó que todos los jefes que se habían rebelado, o que habían incitado a otros a rebelarse, fueran condenados a una muerte cruel". Li Tan fue puesto en un saco y pisoteado hasta la muerte por jinetes mongoles. Un confederado de Li Tan y los Song fue descubierto en la corte de Kublai, y él también fue ejecutado. El efecto de esta rebelión en Shandong fue una disminución del entusiasmo del Gran Kan por el modo de administración chino. Recurrió a funcionarios de culturas no chinas, como el italiano Marco Polo, que aceptó un trabajo de funcionario en una ciudad china.

Aunque puede que se haya enfadado por el estilo de gobierno chino, Kublai comprendió la importancia de la forma en que administraba sus territorios chinos. En el norte, quería parecer simpatizante de los intereses chinos para no alarmar a los chinos Song, que estaban a punto de ser forzados a entrar en el Imperio mongol. La gestión de los chinos debía ser manejada con delicadeza porque, en el norte, los mongoles eran superados en número, tal vez por un margen de cinco a uno. Si Kublai asumía el control del sur de China, con una población del orden de los cuarenta millones, la escasez de mongoles para mantener el orden se volvería crítica. Así que se puso a poner en práctica los consejos de sus consejeros confucianos. Propusieron que Kublai siempre presentara un rostro magnánimo. Si era eficaz para ganar los corazones y las mentes de los Song, ellos, sin guerra, rogarían que se les permitiera entrar en el Imperio mongol.

Un emisario fue enviado por Kublai a los Song, quienes suplicaron su completa sumisión a la autoridad mongola. El embajador pintó a Kublai como un virtual hombre chino que haría pocos cambios en la organización de la burocracia de los Song. La diferencia más importante sería que los impuestos fluirían al Gran Kan y no al líder del Imperio Song. Kublai prometió asegurar que los comerciantes Song no serían acosados en el norte, insistiendo en que su ruta comercial continuaría como en el pasado cuando el norte estaba bajo dominio chino. A pesar de esto, había continuas tensiones en el río Yangtsé, la frontera entre los mongoles y los Song. Fue en realidad el corazón mongol de Kublai, lleno como estaba de nociones expansionistas mongoles tradicionales, lo que le convenció. Kublai se preparó para una gran invasión del sur, siguiendo la tradición mongola del expansionismo para generar riqueza, para reunir nuevos esclavos para ponerlos a trabajar, y para centrar la atención de los súbditos en objetivos externos. Era su intención establecer tratos con los Song apoderándose de su territorio.

La invasión del sur implicó una difícil transición en los medios de guerra mongoles. Mientras que el ejército de Kublai era experto en las llanuras de las estepas, no estaban entrenados para atravesar los húmedos campos de arroz del sur, sobreviviendo al intenso calor y evitando las enfermedades tropicales. El desafío de encontrar suficiente tierra de pastoreo para los caballos mongoles y la necesidad sin precedentes de tratar con los combatientes a bordo de los barcos que fueron enviados por los Song pesaba mucho en el Kublai Kan. Para poder cruzar el Yangtsé eficazmente y patrullar la costa de la China de los Song, Kublai necesitaba una marina. El comienzo de esta empresa fue la captura de 146 barcos Song que habían navegado por el Yangtsé casi hasta Sichuan. Estos barcos fueron utilizados por Kublai en su ataque en 1268 a Xiangyang (en la actual provincia de Hubei) en el río Han. A pesar de que estaba rodeada por fuertes mongoles, la comida y los soldados llegaron a la ciudad, proporcionando alivio a los habitantes del interior. El asedio siguió y siguió. Una gran entrega de suministros a la ciudad asediada llegó cuando dos mil soldados Song rompieron el bloqueo mongol del río Han. El asedio mongol fue, en cierto modo, profesionalizado cuando los expertos en la guerra de asedio llegaron de Persia. Estos ingenieros construyeron enormes catapultas, o manganas, que eran capaces de lanzar una roca de 300 libras sobre las murallas de la ciudad. Usando estos dispositivos, los mongoles golpearon las paredes de Xiangyang hasta convertirlas en escombros. Las fuentes históricas no son claras en cuanto a si los constructores de las manganas eran, de hecho, persas. Una fuente afirma que los ingenieros eran de Damasco, donde la familiaridad con la eficacia de las manganas se obtuvo de los asedios de los castillos de las Cruzadas. En su libro sobre su visita a Kublai Kan, el mercader italiano Marco Polo llegó a afirmar que los constructores de manganas eran él mismo, su padre, su tío y algunos ayudantes no nombrados. "Entonces hablaron los dos hermanos y el hijo de Messer Marco, y dijeron: 'Gran Príncipe, tenemos entre nuestros seguidores hombres capaces de construir manganas que arrojarán piedras tan grandes que la guarnición nunca podrá soportarlas, sino rendirse". La jactancia de este acto tiene mucho que ver con que todo el relato de Polo sobre su estancia en China se vea como una falsa narración. Cuando ocurrió el asedio de Xiangyang, los polacos ni siquiera estaban en China.

Xiangyang finalmente cayó ante los mongoles en 1272 después de un asedio de cinco años. Para consolidar el mando de su fuerza expedicionaria, Kublai nombró al general Bayan como comandante supremo. Marchó sus tropas por el Yangtsé y sitió Hangzhou. Su ejército se reforzó con la adición de muchos traidores chinos Song que entendieron que el comercio con los mongoles se llevaría a cabo con respeto.

Los chinos Song, en el momento del asedio, fueron dirigidos por la emperatriz Dowager Quan y la gran emperatriz Dowager Xie. Esta última fue una gran defensora de la causa Song; en un momento dado, ella incitó a sus partidarios, proclamando: "Desde la antigüedad no ha habido aún una época de conquista bárbara total". ¿Cómo ha llegado a este estado actual que se desvía de las constantes del Cielo y la Tierra?". A pesar de su fanfarronería, a finales de 1275, Xie se vio obligada a entregar el sello imperial a Bayan, cediéndole la capital de Song. El heredero de cuatro años de la dinastía Song fue enviado al sur. Finalmente fue capturado por los mongoles y enviado a un monasterio en el Tíbet.

Incluso antes de la caída de Hangzhou, Kublai se declaró a sí mismo como el emperador de China. Escogió el nombre de su dinastía cuidadosamente para no enfatizar su origen "bárbaro" y antagonizar a la población. Así que, en un movimiento brillante, estableció la dinastía Yuan. Kublai envió cartas a los pueblos de la periferia de su nuevo imperio chino. Del rey de Corea, recibió un fuerte apoyo, ya que las tropas mongolas habían sido fundamentales para sofocar una insurrección contra el rey. Escribió a los japoneses y al rey de Annam, esperando que reconocieran rápidamente su papel como gobernante de todo lo que hay bajo el cielo. En ambos casos, las autoridades dieron largas.

Mientras tanto, el Gran Kan se ocupó de crear un capital adecuado para el nuevo emperador de China.

# Capítulo 9 - Marco Polo visita la China de Kublai Kan

Mientras conquistaba el sur de China y posteriormente fundaba la dinastía Yuan en 1279, Kublai Kan tuvo que hacer frente a los disturbios en los confines de su imperio. En Mongolia, se vio constantemente amenazado por la guerra interna. En el oeste del Imperio mongol, los disturbios barrieron el gobierno de la Horda de Oro. Los administradores de Kublai fueron apartados en una guerra civil, y los ejércitos de la Horda de Oro y los del Kanato mongol en Persia, conocido como el Ilkanato, se enfrentaron. En este período de lucha interna, los comerciantes del oeste latino hicieron incursiones en el comercio con las partes cercanas del imperio mongol. Para 1263, los comerciantes occidentales se establecieron en Tabriz, el principal centro comercial de Persia. Bajo Hulagu Kan, el gobernante del Ilkanato de 1256 a 1265, y su sucesor Abaqa Kan, que reinó de 1265 a 1282, mejoraron las relaciones entre el Occidente cristiano y Persia. Abaqa tenía una madre cristiana, y entre sus esposas estaba la hija del emperador bizantino Miguel VIII Paleólogo. Esto significó que los misioneros, diplomáticos y comerciantes cristianos se hicieron prominentes en la ciudad de Tabriz. Se intentó mejorar la diplomacia entre la corte de Abaqa y Occidente, entre los que se encontraba la fallida coordinación de la acción militar persa y la Cruzada del príncipe Eduardo de Inglaterra entre 1270 y 1272.

La principal fuente de información sobre lo que se encontraba al este de Europa durante la primera mitad del siglo XIV fue un libro titulado *Los viajes de Marco Polo* o el *Libro de las Maravillas del Mundo*, que data de alrededor de 1300. La mayor parte de lo que rodea este relato del viaje de Polo al Oriente está envuelto en misterio, y la verdad de su contenido ha sido objeto de debate.

En la década de 1250, los comerciantes venecianos Niccolò y Maffeo Polo dirigieron un negocio comercial que transportaba mercancías desde el Oriente hasta Venecia, donde eran luego transportadas a los mercados europeos. Los Polo operaban desde el puerto de Crimea de Soldaia (hoy Sudak). Su mayor competencia provenía de las empresas comerciales venecianas que operaban desde Constantinopla, que era el centro del Imperio Latino, que se extendía desde los Balcanes hasta el Levante. Entre las exóticas mercancías comerciales que fluían desde el Este hacia Constantinopla y los puertos dependientes estaban la seda, los tintes, las pieles, la pimienta, el algodón y los esclavos. Fue a Crimea que los rusos entregaron ámbar, miel, cera y pieles. El comercio más importante de los Polo era de productos alimenticios provenientes de las estepas europeas.

Según el libro que se conoció como *Los viajes de Marco Polo*, Niccolò y Maffeo Polo se pusieron en marcha en 1260 para comerciar joyas con los comerciantes de la Horda de Oro en Rusia. Viajaron a Sarai (cerca del actual Volgogrado), donde se reunieron e intercambiaron mercancías con el nieto de Gengis Kan, Berke Kan, que reinó en la Horda de Oro de 1257 a 1266. Debido a que el archienemigo de Venecia, Génova, en alianza con los bizantinos, reconquistó Constantinopla en 1261, los polacos evitaron volver a Venecia a través del territorio bizantino. Podrían haber deseado viajar al sur de Rusia a través de Georgia y Armenia hasta Tabriz, la capital de Ilkanato, pero esta ruta de regreso se hizo imposible porque había estallado una guerra entre el Berke Kan de la Horda de Oro y

Hulagu, el Kan mongol de Persia. Al parecer, los polacos salieron de Sarai y se dirigieron directamente al este, atravesando un desierto en Asia Central para llegar a Bujará, situada en el actual Uzbekistán. Allí fueron convencidos por un emisario del persa Ilkhan Hulagu, que se dirigía a ver al Gran Kan, de que debían unirse a él. Según el libro, los hermanos Polo viajaron un año hacia el norte y el noreste hasta que llegaron a la corte de Kublai Kan.

El Gran Kan les dio cartas en mongol para que las entregaran al papa. Le pidió al papa que le enviara cien maestros de las artes liberales que pudieran convertir a los mongoles al catolicismo. La naturaleza real de esta petición parece haber sido más en la línea del Gran Kan que necesitaba la ayuda de los administradores europeos para tratar con los chinos del norte, que Kublai estaba a punto de conquistar. Kublai Kan también pidió que los Polo le consiguieran aceite de la lámpara del Santo Sepulcro en Jerusalén y se lo enviaran. Para facilitar su viaje hacia el oeste a su hogar en Venecia, los hermanos Polo recibieron un pase que les daba derecho a pasar por todas las tierras mongolas sin obstáculos. Después de un viaje que, según se dijo, aunque probablemente exagerado, duró tres años, llegaron al puerto de Layas o Aegeae (ahora la ciudad turística turca de Yumurtalik) y navegaron hasta Acre y desde allí volvieron a su casa en Venecia. En Venecia, Nicolás se reunió con su hijo Marco, que según el libro tenía 15 años en ese momento.

Tres años más tarde, los hermanos Polo decidieron visitar al Gran Kan, y se llevaron al joven hijo de Nicolás, Marco. Navegaron hasta Acre y luego visitaron Jerusalén para conseguir el aceite sagrado como pidió el Gran Kan. Volviendo a Acre, se enteraron de que el Archidiácono Tedaldo Visconti, entonces residente allí, acababa de ser elegido como el papa Gregorio X (pontífice de 1271 a 1276).

El nuevo papa, en lugar de enviar un grupo de educadores o administradores al Kublai Kan como se le había pedido, proporcionó a la expedición de mercaderes de Polo dos frailes dominicos, el hermano Nicolás de Vicenza y el hermano Guillermo de Trípoli.

Ellos fueron, según *Los viajes de Marco Polo*, dotados por el papa de "la autoridad necesaria para que pudieran hacer todo en esos países con plenos poderes, ordenar sacerdotes y consagrar obispos... Él [el papa] les dio credenciales escritas y cartas, y les confió el mensaje que deseaba enviar al Gran Kan". El viaje a la corte del Gran Kan duró tres años y medio, que Marco Polo dijo que fue "debido al mal tiempo y al frío intenso que encontraron". Llegaron a Karakórum en 1275. Allí, "fueron al Palacio Real, donde encontraron al Gran Kan rodeado de una gran compañía de barones. Así que se arrodillaron ante él y le presentaron sus respetos de la manera más humilde posible... Presentaron las credenciales y cartas que el papa le envió, lo que le complació enormemente. Luego consignaron el aceite santo, por el que se alegró mucho".

Marco describió a Kublai Kan en el libro, diciendo: "Es de buena estatura, ni alto ni bajo, pero de mediana altura. Tiene una cantidad creciente de carne, y está muy bien formado en todos sus miembros. Su tez es blanca y roja, los ojos negros y finos, la nariz bien formada y bien puesta".

Los polacos pasarían los siguientes diecisiete años en el Este. Aunque no hay registros chinos que lo confirmen, según el registro de los viajes de los Polo, Kublai Kan utilizó al joven Marco como administrador.

> Sucedió que Marco, el hijo de Messer Niccolò, aprendió tan bien las costumbres, lenguas y modos de escribir de los tártaros, que fue una verdadera maravilla, pues les digo en verdad que, no mucho después de llegar a la corte del gran lord, conocía cuatro lenguas, y sus alfabetos, y modos de escribir. Era muy sabio y prudente, y el Gran Kan lo amaba mucho.

En 1273, Kublai completó su conquista de China, reunificando así el norte y el sur de China. Marco Polo parece haber servido al Gran Kan como embajador en regiones lejanas del Imperio mongol, informando con descripciones de los pueblos y lo que vio.

Los Polo, que habían pedido permiso para volver a Europa en varias ocasiones, pero fueron rechazados por el Gran Kan, fueron finalmente elegidos para acompañar a una princesa imperial en su viaje para casarse con Arghun Kan. Después de un arduo viaje, la princesa fue entregada a la corte del Kan en Persia. Los tres polacos viajaron al oeste a través de Trebisonda en el mar Negro hasta Constantinopla y llegaron a su casa en Venecia en 1295. Marco tenía, en ese momento, 41 o 42 años de edad.

En algún momento, bajo circunstancias que se desconocen, Marco fue capturado en el mar por los genoveses. Fue arrojado a la prisión donde, aparentemente, escribió el relato de sus viajes a Oriente. Marco fue liberado y, en 1299, regresó a su casa en Venecia. El manuscrito de Marco para su libro sobre sus viajes fue copiado por escribas y traducido a varios idiomas europeos, y Marco fue consultado por eruditos en los temas de geografía y los pueblos de Oriente.

El coautor de *Los viajes de Marco Polo*, Rustichello da Pisa, estuvo con Marco en la cárcel de Génova. El florecimiento del romance incluido en el libro de viajes y la forma en que se enmarca la historia se han atribuido a Rustichello. Es por esta razón que uno debe dudar de cada afirmación del libro como si fuera totalmente real. Los estudiosos han debatido si el libro fue dictado por el propio Marco Polo, y también han discutido sobre la aportación de los copistas del texto, ya que el original ha desaparecido. Además, los académicos han encontrado difícil determinar la ubicación de muchos de los lugares mencionados en el texto. Se cree que Marco Polo y Rustichello da Pisa a menudo utilizaron nombres de lugares que fueron mal traducidos de los idiomas locales. Considerar algunas de las observaciones de Polo, ya sean exactas o no, es valioso para comprender qué tipo de información se difundió en Europa con respecto al camino hacia Oriente, que no estaba registrado, y las maravillas de China.

Marco Polo describió la ciudad de Mosul como la observó a finales del siglo XIII. Informó que, en la Mosul controlada por los mongoles, los cristianos de varias sectas y los musulmanes se mezclaban libremente. Señaló que los musulmanes fabricaban telas de seda y que "transportaban especias y drogas, en grandes cantidades, de un país a otro". En las montañas al norte de Mosul, dijo Polo, "hay una raza de personas llamadas kurdos... Son un pueblo sin principios, cuya ocupación es robar a los comerciantes".

En Bagdad, el mercader veneciano escribió que "hay una fabricación de sedas forjadas con oro, y también de damascos, así como de terciopelos adornados con figuras de pájaros y bestias". En Tauro, en Irak, "los habitantes se mantienen principalmente con el comercio y las manufacturas, que consisten en varios tipos de seda, algunas de ellas entretejidas con oro, y de alto precio". De esto podemos aprender que la seda, quizás incluso la mayor parte de ella, que se mueve a lo largo de la Ruta de la Seda hacia el oeste no fue fabricada por los chinos. Tauro era un importante centro de comercio, donde, "Los comerciantes de la India... así como de diferentes partes de Europa, recurren allí para comprar y vender una serie de artículos". Como buen cristiano, Marco Polo no pudo resistirse a opinar sobre los musulmanes, el grupo dominante de Tauro. Dijo que, de acuerdo con su doctrina, lo que fuera robado o saqueado a otros de una fe diferente era ahora suyo, y el robo no sería visto como un crimen.

Mientras estaba en Persia, Marco Polo preguntó a los locales sobre el origen de los tres Reyes Magos, que trajeron regalos exóticos al niño Jesús. Registró la historia en su libro, junto con otras leyendas regionales. Se encontró con los Yazidis en Persia y observó que hacían "una especie de tela de seda y oro... conocida con el nombre de Yasti". Esta tela fue "llevada de allí por los comerciantes a todas partes del mundo". Marco Polo cuenta de la ciudad-estado de Ormuz (Hormuz), donde las temperaturas obligaron a los habitantes a retirarse en verano a las casas que habían sido construidas sobre un río. Esto fue probablemente un rumor que Marco Polo había obtenido a través de una traducción imperfecta. Es probable que esta referencia a las casas sobre un río, de hecho, se refiriera a la evacuación forzada de los habitantes de Ormuz a la isla de Ormuz, que fueron expulsados por el sultanato selyúcida musulmán Kerman o por los invasores mongoles.

En Timochain, situado en la provincia de Fars, en el norte de Persia, Marco Polo registra que se enteró de la leyenda del Viejo de la Montaña, incluyendo su banda de asesinos y su base en la ciudad de Balach que fue destruida por los mongoles. Balach, dice Marco Polo, "contenía muchos palacios construidos de mármol, y plazas espaciosas, todavía visibles, aunque en estado ruinoso". En esta parte de la historia de sus viajes, Marco Polo describe Cachemira, aunque es poco probable que haya ido allí.

Llegando a Jotán en la ruta sur de la Ruta de la Seda alrededor del desierto del Taklamakán, Marco Polo dice que la gente de allí eran en su mayoría musulmanes. Hoy sabemos que la observación de Polo era incorrecta porque Jotán era, en ese momento, un estado budista dentro del Imperio mongol. Jotán, dijo Polo, "produce algodón, lino, cáñamo, grano, vino y otros artículos. Los habitantes cultivan granjas y viñedos y tienen numerosos jardines. Se mantienen también con el comercio y las manufacturas, pero no son buenos soldados".

Cuando llegó al desierto de Lop, en lo que hoy es el hogar de los uigures musulmanes en Xinjiang, en el extremo noroeste de China, Polo registra que la región, que estaba bajo el dominio del Gran Kan, estaba poblada por musulmanes. Los viajeros que tenían la intención de cruzar el desierto, dijo Polo, "normalmente se detienen durante un tiempo considerable en este lugar [la ciudad de Lop], tanto para descansar de sus fatigas como para hacer los preparativos necesarios para su viaje posterior". Para ello, cargan varios asnos y camellos robustos con provisiones y con su mercancía... Los camellos suelen emplearse aquí con preferencia a los asnos, porque llevan cargas pesadas y se alimentan con una pequeña cantidad de provisiones. Las existencias de provisiones se deben guardar durante un mes, tiempo que se requiere para cruzar el desierto en la parte más estrecha".

En la parte de su relato en la que Polo llega a Karakórum, la antigua capital del Imperio mongol, relata la historia de cómo Gengis Kan marchó contra Preste Juan, que estaba acampado en la gran llanura de Tenduk. Después de recibir buenos augurios para el resultado de la batalla, los mongoles lanzaron un ataque. El ejército mongol se abrió paso entre las filas del Preste Juan y derrotó por completo al enemigo. "El propio Preste Juan fue asesinado, su reino cayó ante el conquistador, y Gengis Kan desposó a su hija".

El palacio del Gran Kan en Shandu (Chandu o Xanadu), dice Polo, tenía salas y cámaras todas doradas. El palacio estaba "contenido dentro de un muro para encerrar dieciséis millas en el circuito de la llanura adyacente. Contiene el Parque Real con árboles y pájaros. El número de estos pájaros es de más de doscientos, sin contar los halcones". En medio del parque, había un pabellón real en forma de yurta.

> Está dorado por todas partes, con un acabado interior muy elaborado y decorado con bestias y pájaros de muy buena factura. Se apoya en una columnata de hermosos pilares, dorados y barnizados. Alrededor de cada pilar un dragón, igualmente dorado, entrelaza su cola, mientras que su cabeza sostiene el saliente del techo, y sus garras o garfios se extienden a izquierda y derecha... La construcción del pabellón está tan concebida que puede ser desmontada y montada rápidamente; y puede ser desmontada en pedazos y retirada donde el Emperador lo ordene. Cuando se erige, está sujeto por más de 200 cuerdas de seda.

Polo luego da una descripción de la exitosa batalla de Kublai contra el rebelde príncipe mongol Nayan. Este puede ser un informe de primera mano del evento que tuvo lugar en julio de 1287. "Kublai ocupó su puesto en un gran castillo de madera, cargado sobre los lomos de cuatro elefantes, cuyos cuerpos fueron protegidos con recubrimientos de cuero grueso endurecido por el fuego, sobre las que se encontraban cubiertas de tela de oro. El castillo contenía muchos ballesteros y arqueros". En *Los viajes de Marco Polo*, se dice que el ejército de Kublai Kan "consistía en treinta batallones de caballos, cada batallón contenía diez mil hombres". Después de su victoria, Kublai Kan regresó a Khanbalu (Beijing) en noviembre.

En la Pascua del año siguiente, Kublai Kan dijo a los cristianos que "le atendieran" y que trajeran su Biblia. Marco Polo registró lo siguiente sobre ello en su libro.

> Después de hacer [la Biblia] que se perfumara repetidamente con incienso, de manera ceremoniosa, la besó devotamente y ordenó que todos los nobles presentes hicieran lo mismo. Esta era su práctica habitual en cada una de las principales fiestas cristianas... Observó lo mismo en las fiestas de los sarracenos [musulmanes], judíos e idólatras. Cuando se le preguntó el motivo de esta conducta, dijo: "Hay cuatro grandes profetas que son reverenciados y adorados por las diferentes clases de la humanidad... Yo honro y respeto a los cuatro"... Pero por la forma en que su majestad actuó con ellos, es evidente que consideraba la fe de los cristianos como la correcta y la mejor; nada, como él observó, se imponía a sus profesores que no estuviera lleno de virtud y santidad.

Sea esto cierto o no, debe entenderse que Polo escribía para un público cristiano.

Una de las costumbres del Gran Kan que claramente asombró a Marco Polo fue la elección de su pareja matrimonial.

> Cuando su majestad desea la compañía de una de sus emperatrices, o manda a buscarla, o va él mismo a su palacio. Además de esto, tiene muchas concubinas provistas para su uso de una provincia de Tartaria llamada Ungut [posiblemente en el Irán de hoy en día], cuyos habitantes se distinguen por la belleza de sus rasgos y la belleza de su tez. Cada dos años, o más a menudo, según le plazca, el Gran Kan envía allí a sus oficiales,

que recogen para él, cien o más, de las más guapas de las jóvenes, según la estimación de la belleza que les comunican en sus instrucciones.

Marco Polo estuvo presente durante la construcción del palacio real de Kublai Kan y la capital china en Beijing. Uno de los edificios que le impresionó fue un observatorio construido en la década de 1270.

Tienen una especie de astrolabio en el que están inscritos los signos planetarios, las horas y los puntos críticos de todo el año. Cada año los astrólogos cristianos, sarracenos y chinos, cada secta aparte, investigan por medio de este astrolabio el curso y el carácter de todo el año... para descubrir por el curso natural y la disposición de los planetas, y las demás circunstancias de los cielos... cuál será la naturaleza del clima, y qué peculiaridades producirá cada luna del año.

Este asombroso procedimiento científico era algo bastante extraño en Europa, y por lo tanto fascinaba a los visitantes de Marco Polo. También estaba asombrado por el proyecto del Gran Kan para su nueva capital, diciendo que "Todos los terrenos en los que se construyen las casas de la ciudad son cuadrados y están dispuestos en líneas rectas... Cada terreno cuadrado [en Beijing] está rodeado de bonitas calles para el tráfico, y así toda la ciudad está dispuesta en plazas como un tablero de ajedrez". Esto no se parece en nada a las ciudades medievales de Europa, donde la topografía y los caminos tradicionales determinaban la ubicación de las parcelas de viviendas. Marco Polo dejó Beijing antes de que se completara la renovación y ampliación del Gran Canal, que une Beijing y Hangzhou. Esta hazaña de ingeniería sin duda le habría impresionado. Marco Polo también echó de menos la finalización del elaborado sistema de suministro de agua y la extensión del lago en el norte de la ciudad. Debido a que a ningún occidental se le habría permitido estar a un tiro de piedra del propio palacio de Kublai, solo fue descrito por aquellos que subieron una colina con vistas a la estructura. Fray Odorico de Pordenone, que visitó Beijing después de Marco Polo, escribió sobre el palacio en términos bastante vagos. "En la ciudad, el gran emperador Khan tiene su asiento principal, y su palacio imperial, cuyas paredes están a cuatro millas de distancia". Una de las mayores contribuciones de Kublai al paisaje urbano de Beijing fue la restauración de la Gran Pagoda Blanca del siglo XI. Esta estructura budista era el edificio más alto de Beijing.

Los objetos de comercio que llegaron a Beijing estaban todos sujetos al monopolio del Gran Kan. Marco Polo señaló lo siguiente:

> Además, todos los comerciantes que lleguen de la India o de otros países y traigan consigo oro o plata o gemas y perlas, tienen prohibido vender a cualquiera que no sea el emperador. Él tiene doce expertos elegidos para este negocio, hombres de sagacidad y experiencia en tales asuntos; estos tasan los artículos, y el emperador entonces paga un precio liberal por ellos en esos pedazos de papel [moneda de papel].

Aunque Kublai no fue el primero en usar papel moneda, su uso de este tipo de comercio se extendió lo suficiente como para intrigar a Marco Polo. Informó que el dinero se hacía con la dura corteza de la morera y se trataba con gran respeto. Era una moneda de curso legal cuyo uso era impuesto por la ley. Si un comerciante se negaba a aceptarlo como pago, estaba sujeto a la ejecución. Cuando los billetes estaban demasiado dañados para ser usados, los comerciantes podían cambiarlos en el tesoro imperial con el pago de una tasa del 3 por ciento.

Marco Polo dijo de las finanzas del Kan, "Ahora habéis oído las formas y medios por los que el Gran Kan puede tener, y de hecho tiene, más tesoros que todos los reyes del mundo; y sabéis todo sobre ello y la razón de ello". Por supuesto, el uso de papel moneda inevitablemente resultó en la inflación.

En esta época se establecieron otros contactos entre el Oriente y el Occidente. Bajo el patrocinio de Kublai Kan, dos monjes nestorianos, Rabban Sauma y Rabban Mark, emprendieron una peregrinación hacia el oeste, a Jerusalén. Ambos monjes eran de origen turco o uigur. Su ruta los llevó a lo largo de la Ruta de la Seda, pasando por Jotán, Kasgar y Azerbaiyán, y llegando a Bagdad en 1280. Aquí, el patriarca de la Iglesia nestoriana nombró a Rabban Mark como metropolita nestoriano de Catay y Ong (Shanxi). Cuando el patriarca murió, Rabban Mark fue nombrado, probablemente por orden de Kublai Kan, para ser el nuevo patriarca de la Iglesia nestoriana. Rabban Sauma, en 1287, fue enviado por Arghun Kan para dirigir una embajada en Europa. Fue acompañado por dos italianos, Tommaso, miembro de una familia de banqueros genoveses, y Ughetto, que iba a actuar como intérprete. Fueron a Roma y Génova, se reunieron con el rey Felipe IV en París y celebraron la comunión cristiana con Eduardo I de Inglaterra en Burdeos. Rabban Sauma volvió a Roma, donde se reunió con el papa Nicolás IV y entregó una invitación de Arghun Kan para enviar misioneros católicos a la corte del Gran Kan Kublai.

El papa encargó al fraile franciscano Juan de Montecorvino que viajara a China en respuesta a la petición de Kublai Kan. Juan partió en 1289 en compañía del fraile dominico Nicolás de Pistoia y de un comerciante, Pedro de Lucalongo. La intención era claramente que el comercio terrestre a lo largo de la Ruta de la Seda fuera un importante subproducto de la conversión de los chinos. La misión siguió una ruta tortuosa hacia la corte del Gran Kan. Después de detenerse en Tabriz, la capital del Ilkanato en Persia, Montecorvino y sus compañeros navegaron a Madrás en la India en 1291. Luego se dirigió por mar desde Bengala a China, donde apareció en Janbalic (actual Beijing) en 1294. Aunque Kublai Kan había muerto y el Imperio mongol estaba gobernado por su sucesor, Temür Kan (r. 1294-1307), Juan fue acogido por el nuevo Gran Kan y los gobernantes del estado títere chino de los mongoles conocido como la dinastía Yuan.

Juan construyó dos iglesias en Janbalic y estableció talleres cristianos, que pobló con jóvenes que había comprado a sus padres paganos. Hizo que los chicos fueran instruidos en latín y griego y los entrenó en los ritos y tradiciones de la Iglesia católica. Se enseñó a sí mismo el idioma uigur, que era la lengua común de los gobernantes mongoles en China, y tradujo el Nuevo Testamento y los Salmos al uigur. El éxito de John implicó la conversión de cientos de chinos-mongoles y le valió la ira de los cristianos nestorianos, que eran bastante numerosos en los territorios controlados por los mongoles en Yuan China. Los refuerzos cristianos fueron enviados a Juan en 1307, pero de los siete franciscanos que salieron de Europa, solo tres llegaron a China. Siguiendo las instrucciones del papa, consagraron a Juan como arzobispo de Beijing. Entre los puntos culminantes de la misión de Juan fue la conversión del Gran Kan al catolicismo, que en ese momento era Külüg (r. 1307-1311) y conocido como el emperador Wuzong de la dinastía Yuan. Sin embargo, hay algunas dudas sobre la veracidad de esta afirmación. Se cree que Juan de Montecorvino murió en Beijing alrededor de 1328 porque, en una carta de 1336 de Toghon Temür, que se convirtió en el emperador de la dinastía Yuan en 1333, se informó de que el Kanato chino mongol había carecido de un líder espiritual durante los ocho años transcurridos desde la muerte de Juan. La carta fue entregada por una embajada enviada desde la China mongola encabezada por Andrea di Nascio, un genovés de la corte de Toghon Temür. Di Nascio fue acompañado por otro mercader genovés, Andalò di Savignone. La presencia de genoveses de confianza en la corte de China indica que, para entonces, había un comercio significativo entre Oriente y Occidente.

El papa mantuvo un interés en los asuntos de la Iglesia cristiana en China. En 1338, envió cincuenta eclesiásticos al Kanato mongol en China. La ausencia de prejuicios religiosos entre los mongoles permitió la prosperidad de la Iglesia cristiana en la China del Yuan. Todo esto llegó a su fin, sin embargo, en 1368, cuando los chinos se levantaron y derrocaron a sus señores mongoles. En los primeros años de la dinastía Ming, que duró de 1368 a 1644, todos los cristianos fueron expulsados de China.

Marco Polo, a lo largo de sus muchos viajes, visitó muchas ciudades grandes y pequeñas en Yuan China. La mayoría de las nombradas en su libro no pueden ser conectadas con ningún grado de certeza a ciudades chinas específicas. Una que sí puede, sin embargo, es Kin Sai, que ha sido identificada como Hangzhou, que, se dice, que Marco Polo visitó con frecuencia. Hangzhou, se afirma, tiene una circunferencia de cien millas, "sus calles y canales son extensos, y hay plazas y mercados...[donde] están estacionados oficiales nombrados por el Gran Kan, para tomar nota inmediatamente de cualquier diferencia que pueda surgir entre los comerciantes extranjeros...". Los canales "atraviesan todos los barrios de la ciudad" y son atravesados por doce mil puentes. Alrededor de una parte de la ciudad había una zanja que servía para desviar los ríos que se inundaban y funcionaba como foso defensivo cuando era necesario. Marco Polo quedó impresionado por los mercados de Hangzhou, que describió en detalle, destacando, en particular, los deliciosos melocotones y peras. También parece que le atrajeron las cortesanas que vivían en un barrio especial de Hangzhou. "Estas mujeres", dijo, "son consumadas y son perfectas en el arte de las caricias y los tocamientos que acompañan con expresiones adaptadas a cada descripción de la persona".

La extensa descripción de Hangzhou y sus habitantes por Marco Polo sugiere que era su favorita de todas las ciudades que visitó en China. Se interesó mucho por la recreación que ofrecía el lago de Hangzhou, describiendo en detalle las embarcaciones en las que los lugareños se divertían "ya sea en compañía de sus mujeres o de sus compañeros varones". Las personas de Hangzhou, dijo Marco Polo, "no piensan en nada más" después de sus días de trabajo que "pasar las horas restantes en fiestas de placer, con sus esposas o sus amantes".

# Capítulo 10 - Los últimos años de Kublai Kan

La derrota del resto de los Song se produjo en una batalla naval cerca de Xinhui (en la actual Guangdong) en la batalla de Yamen, que se libró el 19 de marzo de 1279. Con la desaparición de los restos de la administración Song, Kublai Kan podía, en realidad, reclamar ser el emperador de una China que se unificó por primera vez en siglos. En lugar de intentar expandir el dominio mongol en el sur hasta Vietnam, Kublai Kan dirigió su atención al Japón, el reino más importante del Lejano Oriente que aún no había caído bajo control mongol.

En su plan de subyugación del Japón, el reino de Corea tuvo que ser llamado a proporcionar recursos militares. Este fue el precio que el rey Wonjong (gobernó de forma intermitente entre 1260 y 1274) tuvo que pagar por aceptar someter a su país a la autoridad mongola. Así, él y sus sucesores sirvieron como agentes del Gran Kan en la lucha contra el Japón. Después de una serie de incursiones en Japón y de ataques preventivos de Japón en la costa de Corea, Kublai envió una embajada a Japón en 1266, exigiendo que la nación se sometiera al gobernante del mundo. También envió una carta al rey Wonjong de Corea, exigiendo que los guerreros coreanos actuaran como sus representantes en una invasión a Japón. Los coreanos se ofuscaron, sin embargo, y Kublai respondió con la demanda de que cooperaran con su plan expansionista. Escribió al rey de Corea, "En cuanto al asunto japonés, lo dejaremos completamente en sus manos, y deseamos que su alteza se atenga a nuestros deseos y transmita nuestro mensaje al Japón, descansando solo cuando el fin se alcance sin contratiempos". También escribió al emperador de Japón, a quien se dirigió como "el rey de un pequeño país", diciendo: "Deseamos recordarle que Corea es ahora una de nuestras provincias orientales, y que Japón es un mero apéndice de Corea". Esta carta fue ignorada, al igual que los representantes de Corea. Un embajador coreano en la corte de Kublai intentó disuadir al Gran Kan de sus designios sobre Japón. Kublai dijo que los japoneses eran presuntuosos, incluso hasta el punto de llamar a su líder emperador de la Tierra del Sol Naciente. Además, dijo el embajador, el rumor de que Japón era extraordinariamente rico era, de hecho, exagerado. Su último consejo al Gran Kan esbozó las dificultades y peligros de un asalto marítimo a Japón. El embajador estaba haciendo todo lo posible para proteger los intereses de Corea, ya que se esperaba que cualquier invasión mongola al Japón fuera llevada a cabo, en su mayor parte, por marineros y soldados coreanos. Sin embargo, no logró convencer a Kublai, quien ordenó que Corea construyera mil barcos y los llenara con cuatro mil sacos de arroz y los tripulara con cuarenta mil tropas.

Después de enviar tres misiones a Japón, ninguna de las cuales llegó más lejos que la isla de Tsushima en el Estrecho de Corea, Kublai envió un consejero de confianza a Japón. Al leer la demanda del Gran Kan de que Japón se sometiera a su autoridad, el embajador fue expulsado de Japón. Kublai pudo haber abandonado sus designios sobre Japón, pero la arrogancia de los japoneses al rechazar cualquier noción de amistad con el emperador Yuan de China, junto con la necesidad en el Imperio mongol de proyectar una fuerza absoluta, obligó a Kublai a invadir Japón.

En 1274, una flota de barcos coreanos que transportaba quince mil soldados coreanos, mongoles y de Jurchen partió del puerto de Pusan. La armada se detuvo en la isla de Tsushima y lanzó un asalto a los samuráis locales. Los samuráis, que habían sido entrenados para dirigir la guerra de forma ritual, pronto cayeron en el asalto mongol de flechas envenenadas y en la violencia masiva no caballerosa. Los samuráis, abrumados por la superioridad numérica, se retiraron, y ellos, junto con los habitantes civiles de Tsushima, fueron masacrados. Lo mismo ocurrió cuando la enorme flota desembarcó en la isla de Iki. Para sembrar el terror en los corazones de los habitantes de la isla poco defendida, los barcos tenían sus proas decoradas con las mujeres capturadas muertas o moribundas desnudas, cuyos cuerpos, según los anales de la dinastía Yuan, se fijaban con clavos en las palmas de las manos. Empujando sus líneas hacia adelante detrás de una masa de mujeres japonesas capturadas, los mongoles lograron superar toda la isla.

La flota mongola pronto se trasladó a la bahía de Hakata en la isla de Kyūshū, un lugar natural para un asalto anfibio. Los samuráis de esta isla estaban mejor preparados que los de las otras islas japonesas. Los caballeros japoneses detuvieron el ataque mongol, y las fuerzas mongoles se retiraron a sus barcos al final de la jornada de lucha. Una conferencia a bordo del buque insignia mongol estaba indecisa sobre si los japoneses atacarían antes de la salida de la luna y si los mongoles deberían montar un contraataque en tierra inmediatamente. Los samuráis atacaron primero. En más de trescientas pequeñas embarcaciones, rodearon la flota mongola y empujaron lanchas de fuego contra los barcos enemigos. El fuego sobre los barcos, cuyas bodegas se habían mantenido secas para preservar la pólvora, se extendió rápidamente, y algunos barcos explotaron. Los capitanes de los barcos mongoles intentaron mover sus barcos al mar abierto, donde esperaban poder capear la destructiva tormenta que se había desplazado repentinamente a la bahía de Hakata. Sin embargo, la flota mongola fue destruida por la violenta tormenta, y solo unos pocos barcos sobrevivieron para retirarse a Corea. Lo que se conoció como la batalla de Bun'ei o la primera batalla de la bahía de Hakata el 19 de noviembre de 1274, se convirtió en materia de leyenda en Japón, ya que la victoria sobre los mongoles se atribuyó no solo a la superioridad de los guerreros samuráis, sino también a la intervención divina con la llegada de una tormenta en un momento crítico del conflicto.

Tras la derrota mongola, Kublai Kan envió un emisario a Japón. El embajador cometió el error de llamar rey al emperador japonés y dijo que el líder de los mongoles era un gran emperador. El emperador Hōjō Tokimune (r. 1268-1284) rechazó la oferta de paz de los mongoles. Le dijo en términos inequívocos al embajador de Kublai: "Escucha, mongol. Quienquiera que amenace a una nación o tribu pacífica con el objeto de confiscar sus recursos... es sin duda un ladrón". Y añadió que desde la época de Gengis Kan, "no se ha pasado ni un solo día en un gobierno pacífico, pero el Oriente y el Occidente han sido aterrorizados por los actos brutales del Khan". La audiencia fue de mal en peor, y los enviados de Kublai fueron ejecutados. Es probable que la feroz resistencia del emperador Tokimune a los mongoles fuera el resultado de los disturbios en Japón causados por una secta budista popular que predijo el fin del mundo. Este pronóstico del día del juicio final era algo que los samuráis más valientes habrían pensado que era impensable.

Como el asesinato de embajadores era un anatema para el código de ética mongol, Kublai envió órdenes a Corea de que se preparara una segunda armada. Otra directiva fue entregada a los administradores de Kublai en Yangzhou en el Gran Canal. Uno de los funcionarios públicos de Yangzhou era Marco Polo, y registró la masiva empresa allí para construir quince mil barcos "para llevar sus ejércitos [del Gran Kan] a las islas del mar". Dijo que cada uno de los barcos de transporte tendría una tripulación de veinte y llevaría quince caballos con sus jinetes y provisiones. Fue a través de los escritos de Marco Polo que Occidente supo por primera vez de Japón, aunque llamó al país "Cipangu" y lo que dijo de él se basó enteramente en la invasión de Kublai. Trabajando a partir de la propaganda imperial mongola, Polo declaró que Japón era un país de inmensas riquezas, con mucho oro y perlas en abundancia. El palacio del emperador japonés estaba, según Polo, "enteramente cubierto de oro fino", y los pisos de todo el palacio estaban pavimentados en oro "en planchas como losas de piedra, de un buen grosor de dos dedos".

La flota de Yangzhou bajo el mando del general mongol Arkham y la flota coreana dejaron sus puertos de origen en junio de 1281. Cuando finalmente se reunieron en la bahía de Hakata en agosto, los combatientes, que incluían coreanos, mongoles y chinos, se encontraban en malas condiciones debido a la enfermedad y el agotamiento. Sus suministros disminuían y sus buques estaban sujetos a un acoso casi continuo por parte de pequeñas embarcaciones japonesas con combatientes samuráis a bordo. El estancamiento habría continuado durante algún tiempo si no fuera por la gran tempestad que golpeó el Estrecho de Tsushima el 15 de agosto. La tormenta de dos días destruyó casi toda la flota mongola. Los japoneses informaron que más de cuatro mil barcos se hundieron. Estudios recientes de arqueólogos marinos sugieren que los barcos construidos en Yangzhou fueron, apresuradamente, mal construidos y por lo tanto incapaces de soportar mares violentos.

Kublai envió inmediatamente órdenes para la preparación de un tercer ataque a Japón. Estas órdenes, sin embargo, fueron rescindidas cuando el Gran Kan se preocupó por la disidencia dentro de su imperio. El resultado más significativo de las dos invasiones fallidas del Japón fue el hecho ahora evidente de que los mongoles no eran, como se creía anteriormente, invencibles.

Los últimos años del reinado de Kublai se distinguieron por los intentos de reforzar su administración en áreas de importancia estratégica. Nombró un gobernador musulmán para Yunnan, en el sur de China, con el fin de ejercer un estricto control sobre las carreteras a Annam y Mian (Birmania). Los orígenes del gobernador revelan el pensamiento del Gran Kan cuando se trataba de asegurar que su imperio fuera gestionado adecuadamente por administradores leales. Sayyid Ajall Shams al-Din Omar (1211-1279) era un musulmán khwarezmiano de Bujará (en el actual Uzbekistán). Había servido en el ejército de Kublai y Möngke, y había contribuido a la conquista del reino de Dali en 1274. Sayyid destacó en Yunnan porque, como forastero, era respetado por su trato justo a la gente de la provincia. Durante su mandato, se mejoraron las obras públicas con la institución de proyectos de conservación de agua, obras de irrigación y construcción de terrazas para jardines. Sayyid también construyó mezquitas, templos y escuelas confucianas y un monasterio budista. Después de su muerte, sus hijos continuaron con sus políticas. En resumen, bajo Sayyid, la provincia de Yuan prosperó, y el comercio a lo largo de los caminos que conducen al sudeste de Asia se expandió. Aunque la mayor parte del comercio entre Occidente y Birmania y Vietnam era una empresa marítima, no es improbable que las mercancías de la región viajaran por tierra al norte hasta la antigua Ruta de la Seda y de ahí hacia el oeste.

El tipo de tolerancia religiosa y prosperidad económica en Yunnan que fue favorecida por Kublai no existió por mucho tiempo en Beijing y otras partes del Imperio mongol. Cuando los taoístas de Beijing incendiaron un monasterio budista en 1280, Kublai se vio obligado a actuar en lo que había sido un conflicto de larga duración. Ordenó que las copias del *Libro Taoísta de Conversiones Bárbaras* fueran cazadas y destruidas. Aunque Kublai había hecho previamente una prohibición similar contra el libro, no fue del todo efectiva, por lo que también ordenó la destrucción de todos los bloques de impresión que se utilizaban para hacer múltiples copias del libro. La ira de Kublai cayó en gran medida sobre los taoístas imbatidos y sin formación que se ganaban la vida ofreciendo servicios de adivinación, adivinación y otras prácticas esotéricas.

Otro conflicto religioso estalló por la práctica musulmana del *halal*, o carnicería permitida. La práctica era contraria a la costumbre mongola de matar animales, ya que estos drenaban la sangre antes de cortar el animal. Fue este tipo de disputas las que empezaron a surgir en la corte de Kublai, que había sido construida para ser inclusiva con respecto a las religiones. Tras la controversia *halal*, los musulmanes de la administración imperial fueron atacados por los budistas y los taoístas, y fueron víctimas de los prejuicios de la población china, que se resentía de la autoridad de los no chinos, independientemente de su religión.

A medida que Kublai envejecía, la cuestión de qué religión prefería se hizo más y más urgente. Su postura de sentarse en la cerca de las religiones en conflicto se convirtió menos en un atributo a admirar y más en una espina clavada. El nombramiento por Kublai de su segundo hijo Zhenjin como su heredero en 1283 exacerbó los conflictos entre los líderes religiosos que competían por el poder en el imperio. Zhenjin fue educado primero por eruditos confucianos antes de caer bajo la influencia de un budista tibetano, Drogön Chögyal Phagpa, que se dice que escribió el libro *"Lo que uno debe saber"* en beneficio del joven príncipe. Se convirtió en un asunto de urgencia en la corte imperial en cuanto a qué religión podría favorecer el sucesor de Kublai. Los cristianos nestorianos comenzaron a perder su autoridad, y el catolicismo no tenía futuro, por lo que no se sabía si Zhenjin tendería a simpatizar más con el islam, el budismo, el confucionismo o el taoísmo. Cualquier intento de obtener el favor de Zhenjin por parte de los líderes religiosos no daría frutos, ya que Zhenjin murió en 1286 a la edad de 43 años.

El reinado de Kublai se vio sumido en la confusión en los años posteriores al asesinato en 1281 de Ahmad Fanākati, que era uno de sus principales asesores en materia de finanzas. Nunca se determinó quién perpetró este acto contra el burócrata musulmán mongol, pero sus sustitutos en el papel proporcionaron a su sucesor, el chino Lu Shizhong, una plataforma para ejercer sus prejuicios. Instituyó severas penalizaciones por romper el monopolio imperial de la producción de licor, lo que tuvo el efecto de enfurecer a mongoles y chinos por igual. Lu caracterizó a la clase dirigente mongola como "ociosa" y propuso que se les obligara a criar rebaños en tierras del gobierno y a entregar el 80 por ciento de sus beneficios al tesoro imperial. Entre sus soluciones a la disminución de los ingresos del tesoro era imprimir más papel moneda que ya estaba estimulando la inflación. Lu fue finalmente acusado por sus abundantes enemigos de malversación de fondos y fue expulsado de su cargo y ejecutado. Su sucesor, un uigur o tibetano llamado Sengge, fue igualmente incapaz de poner en orden las finanzas imperiales y rápidamente se volvió odiado dentro y fuera de la corte imperial. También fue ejecutado.

El dilema que enfrenta el gobierno mongol en China está claramente expuesto por los autores de la *Historia del Yuan*. El libro, que forma parte de las *Veinticuatro Historias de China*, compiladas en 1370 por la Oficina de Historia de Ming, condena a los mongoles por una plétora de deficiencias. En general, los mongoles no eran aptos para gobernar China porque eran bárbaros. Los bárbaros podrían conquistar desde el lomo de un caballo, pero nunca podrían gobernar China porque la civilización china era demasiado sofisticada y complicada para que los mongoles la comprendieran. Incluso cuando ponían a los chinos en posiciones de autoridad, como Lu Shizhong, estaban destinados a fracasar porque los extranjeros tenían el control final.

Los problemas de Kublai con las disputas religiosas, la expresión de las diferencias étnicas y religiosas, y su fracaso en la conquista de Japón se vieron agravados por su fracaso en forzar la capitulación del sudeste asiático. El Gran Kan envió una carta al emperador vietnamita Trần Thánh Tông, exigiéndole que enviara tesoros, eruditos, médicos, astrónomos y otros trabajadores cualificados, que Kublai asimilaría a la administración mongola. Detrás de esto estaba la creencia de Kublai de que los vietnamitas suministrarían tropas para su continua guerra contra los Song del Sur. Esto no ocurrió, y Thánh Tông pospuso con éxito cualquier visita que se le ordenó hacer a Beijing. De hecho, tanto él como su hijo lograron evitar las propuestas de Kublai para someterse y sus esfuerzos para crear un cambio de régimen en Vietnam. El último fracaso mongol en Annam llegó con el éxito del general Trần Hưng Đạo al destruir una flota de invasión mongola en 1285 y obligar a las tropas de tierra a salir de su nación.

En el caso de la anexión de Birmania, a los mongoles no les fue mejor que en Vietnam. El rey Narathihapate, un déspota colorido y pomposo, que fue caracterizado por Marco Polo como un "príncipe poderoso", se enfrentó a la amenaza mongola poniendo a prueba las fronteras de su reino atacando las dependencias mongolas en la frontera norte. Después de haberlos librado del control mongol, Narathihapate se negó a averiguar cómo defenderse del inevitable ataque mongol. En su lugar, utilizó el tesoro real y la mano de obra nacional para construir un nuevo y enorme templo, la Pagoda Mingalezedi, que podría haber sido un esfuerzo para ganarse el favor divino en la inevitable invasión mongola. Narathihapate, sin embargo, se equivocó gravemente, ya que, en 1277, los mongoles atacaron bajo el liderazgo del recientemente nombrado gobernador de Yunnan, Nasir al-Din, hijo del altamente competente Sayyid al-Din. Cabalgando a una velocidad vertiginosa por las montañas de Yunnan, las fuerzas mongolas entraron en una tierra que, según Marco Polo, estaba llena de "grandes bosques en los que abundaban los elefantes y los unicornios y otras bestias salvajes". Cuando las fuerzas de Nasir y el rey Narathihapate se encontraron, los mongoles se enfrentaron a un ejército como nunca antes habían visto. Los arqueros birmanos soltaban ráfagas de flechas desde sus elevados aullidos. Los jinetes mongoles fueron incapaces de acercarse a la falange de los elefantes, ya que sus caballos se asustaron con los animales. Escondidos en el bosque, los arqueros de Nasir desmontaron y dispararon flechas a los elefantes, obligando al ejército de Narathihapate a retirarse. El rey se vio obligado a tomar veneno por uno de sus hijos, que estaba horrorizado por la pérdida de la capital por parte de su padre y por el comienzo de las negociaciones para someterse al gobierno mongol. Uno de los hijos de Narathihapate intentó reclamar el reinado y aceptó someterse a los mongoles, pero el reino estaba desorganizado, con varias facciones compitiendo por el poder. Esto complicó la causa mongola, ya que estaban acostumbrados a tratar con un solo monarca, y hacer las paces con un dudoso pretendiente al trono no se ajustaba a su causa. En efecto, si los mongoles iban a tomar Birmania, tendrían que hacer la guerra en todo el país y someter a los virreyes rebeldes uno por uno. Una invasión mongola en 1287 no logró someter al país desunificado, y en 1303, los mongoles finalmente dejaron Birmania a su suerte.

En 1280, sin embargo, Kublai era un hombre enfermo. Tenía sobrepeso y estaba lisiado por la gota, y ambas condiciones se debían al consumo excesivo de alcohol durante mucho tiempo. Marco Polo informó que el Gran Kan viajaba en un gran bastión de madera "llevado por cuatro elefantes bien entrenados, y sobre él se elevó su estandarte". El bastión viajero fue puesto en uso cuando Kublai tuvo que enfrentarse a una revuelta en Manchuria, donde otro nieto de Gengis Kan, Nayan, afirmó que Kublai se había alejado demasiado de sus raíces mongolas. El propio Kublai lideró una flotilla en 1287, y cuando sus guerreros desembarcaron, lideró su enorme ejército contra Nayan. El séquito del Gran Kan estaba "lleno de hombres con arcos cruzados y arqueros", y cabalgaba bajo su bandera, "llevando las figuras del sol y la luna". Según Marco Polo, los cuatro elefantes del Gran Kan "estaban cubiertos con pieles hervidas muy resistentes, cubiertas con telas de seda y oro". Nayan, un cristiano nestoriano, fue derrotado y ejecutado.

A pesar de su precaria salud, Kublai continuó sus campañas expansionistas. Un emisario del reino de Java en 1289 tenía su cara marcada y fue extraditado sumariamente de la isla. El Gran Kan tardó algún tiempo en enterarse de esta humillación, pero cuando lo hizo, puso en marcha el sistema tradicional mongol de retribución. Como si un embajador marcado y expulsado no fuera suficiente para irritar a la corte mongola de Beijing, Kertanagara, el rey de Java (r. 1268-1292), atacó y derrotó al estado vasallo mongol de Jumbi en Sumatra.

En 1292, una flota navegó desde China con órdenes de devolver a Jumbi al control de los mongoles, derrotar a los javaneses y convertir el reino de Java en un estado vasallo mongol. Como parte de esta flotilla había un grupo de barcos que se alejaron a la India. Se supone que a bordo de uno de estos barcos estaba Marco Polo, que estaba entregando una novia princesa mongola al Ilkanato en Persia. Antes de que los mongoles llegaran a Java, Kertanagara fue asesinado por uno de sus aliados, y el hijo del rey muerto acudió a los mongoles para que le ayudaran a vengar la muerte de su padre. El aliado rebelde del rey de Java fue derrotado y asesinado, por lo que el hijo del rey muerto se volvió contra sus salvadores, los mongoles, y declaró su independencia. Sin querer e incapaz de convertir a Java en un estado vasallo, la flotilla mongola regresó a China.

A principios de 1294, el casi octogenario, obeso y alcohólico Kublai murió. A pesar de su condición física, le fue bastante bien para haber alcanzado esta edad. Fue sucedido por su nieto, Temür, que sirvió como el siguiente Gran Kan del Imperio mongol hasta 1307. Bajo Temür, el reino pagano (Birmania), el reino Tran de Annam y todo el sur de Vietnam aceptaron la supremacía de los mongoles.

En la escritura de la historia, se ha dado mucha importancia a los viajes de Marco Polo, su padre y su tío. Ellos no fueron, de hecho, los iniciadores del comercio europeo a lo largo de la Ruta de la Seda. Antes de su viaje y residencia en la corte de Kublai, la ruta había sido explotada por comerciantes del Occidente latino. Determinar exactamente lo que este comercio implicaba es difícil porque los detalles de las empresas comerciales de los europeos en el Este eran guardados como secretos por los comerciantes, quienes, para proteger su ventaja, mantenían sus asuntos en privado. Cuando los Polo regresaron a Venecia en 1295, sus compatriotas italianos habían establecido negocios comerciales alrededor del mar Negro, y los genoveses habían establecido actividades comerciales en Persia. Se informó de que unos novecientos genoveses residían en Persia al servicio de Arghun Kan, principalmente construyendo galeras para el comercio mongol en el océano Índico. El comercio europeo con Persia se expandió cuando el papa prohibió el comercio con los mamelucos de Egipto a principios del siglo XIV. Los mercaderes venecianos también expandieron su comercio con los persas durante esta época, estableciendo un consulado en Tabriz y estableciendo allí conventos de dominicos y franciscanos. Al mismo tiempo, los comerciantes italianos basados en los puertos del mar Negro penetraron en Asia Central, comerciando con mercancías traídas de China y la India. Se ha registrado que, en 1291, Pedro de Lucalongo, que tal vez era un mercader veneciano, viajó desde el Cercano Oriente hasta el sur de China. En 1305, un misionero latino envió cartas a Occidente informando de que una colonia de mercaderes genoveses y otros comerciantes italianos habían establecido depósitos en Zaiton, en el Estrecho de Formosa. Al mismo tiempo que los europeos exploraban y comerciaban a lo largo de la Ruta de la Seda, desarrollaban el comercio por mar desde China.

A mediados del siglo XIV, la ruta a lo largo de la Ruta de la Seda que fue seguida por los Polo era bastante conocida entre los comerciantes latinos. En el *Libro de las Descripciones de los Países y de las Medidas Empleadas en los Negocios*, escrito por un comerciante florentino, Francesco Balducci Pegolotti, alrededor de 1343, el autor dijo que el camino de Persia a China "es bastante seguro tanto de día como de noche". Pero, advierte, si un comerciante está en el camino cuando el señor muere, "en el intervalo a veces se produce un desorden contra los francos y otros extranjeros, ellos llaman "francos" a todos los cristianos de los países del Imperio bizantino hacia el oeste, y el camino no es seguro hasta que se envía al nuevo señor para que reine después del que murió".

Esto fue un poco de engaño, ya que se basó en conocimientos de segunda mano. De hecho, viajar por la Ruta de la Seda fue un asunto desalentador. Sin embargo, los desafíos de las estepas, los desiertos y las montañas de Asia Central valían la pena para los comerciantes que adquirían jengibre, azúcar y ruibarbo, artículos que eran tan apreciados en Europa como la seda. La seda más buscada era la que se producía en el Turquestán. El descubrimiento de dos lápidas cristianas en Yangzhou (en la provincia china de Jiangsu) indica que el comercio por tierra con China estaba muy extendido a mediados del siglo XIV. Están fechadas en letras góticas y son para los hijos de un mercader genovés que murió en 1342 y 1344. El comercio debe haber estado lo suficientemente asentado como para que los comerciantes latinos trajeran a sus familiares cuando estaban estableciendo negocios en China.

# Conclusión: La disminución del comercio a lo largo de la Ruta de la Seda

Después de la muerte de Kublai Kan en 1294, el Imperio mongol, que incluía a Yuan China, fue dirigido por su nieto, Temür Kan. Mantuvo las políticas mongolas y trabajó para saldar las deudas de su padre por las campañas militares, en particular las de Vietnam. Temür también nombró a funcionarios de la corte de entre varios grupos étnicos y religiones, incluidos individuos de origen tibetano y khwarezmiano. Aunque el confucianismo era la religión de la corte, entre los funcionarios había musulmanes, budistas, taoístas y cristianos. Estableció la paz con los Kanatos disidentes, incluso poniendo bajo su control a la Horda de Oro de Occidente. Temür Kan puso fin a la expansión mongola en el sur y el este, dejando de exigir la completa sumisión del Japón, Birmania y Đại Việt (Vietnam).

A pesar de las reformas de Temür Kan, su reinado marca el comienzo del lento colapso de la dinastía Yuan liderada por los mongoles en China y del gran Imperio mongol en su conjunto. Un número de factores jugaron un papel en esto. El pequeño número de mongoles en la administración de los estados vasallos permitió que los disturbios crecieran sin control. Estos líderes rebeldes de varias etnias, situados en cualquier lugar de China al Cercano Oriente, fracturaron el Imperio mongol, lo que dio lugar a la formación de estados independientes que se liberaron de su sumisión al gobierno central en Beijing. El surgimiento de estados no mongoles a lo largo de la Ruta de la Seda dificultó enormemente los viajes y la navegación por las complejas y diferentes regulaciones comerciales. En la propia China, los restos de la clase dirigente mongola se vieron obligados a retirarse a su patria tradicional, donde su sociedad se había convertido en un tipo de cuasi-feudalismo similar al de Gengis Kan.

El último de los emperadores mongoles de China, Toghon Temür Kan (r. 1333-1368) era un personaje disoluto, muy parecido al emperador romano Calígula. Prefería las orgías sexuales a la administración, y así, la división entre las cuatro partes del Imperio mongol-chino (con Mongolia, Corea y el Tíbet), Asia Central, el Ilkanato en Asia Occidental y la Horda de Oro en Rusia, se hizo permanente.

Lo que se convertiría en el imperio más poderoso en los años de disminución del control mongol fue fundado en la Persia turco-mongola por Temür o Tamerlán (r. 1370-1405) en Irán y Asia Central. La etnia de Temür no era claramente mongol, pero se formó a sí mismo como un señor de la guerra en la tradición de Gengis Kan. Sus éxitos militares en Persia, Asia Central, India, Armenia, Georgia y Siria indican que tenía la capacidad militar y los medios para ser un emulador exitoso de Gengis Kan. Mientras Temür expandía su imperio en Occidente, en China, el primero de los emperadores Ming liberaba al país de los restos de los leales al Yuan. En 1394, el emperador Ming se encontraba en una posición en la que podía escribir con valentía a Temür, afirmando que el propio Temür estaba sujeto a la autoridad de Ming. Después de hacer una alianza con los mongoles que vivían en Mongolia, Temür se preparó para atacar la China Ming. Antes de llegar a la frontera de China, murió. Su cuerpo fue embalsamado y llevado a Samarcanda para ser enterrado en una tumba, conocida como el Gur-e Amir, que todavía está en pie.

La interrupción de la ruta de comercio terrestre de China a Occidente por el surgimiento de Temür en el siglo XIV fue más que compensada por la expansión del comercio marítimo entre Oriente y Occidente. La exploración y el comercio marítimo en China se remontan a la creación de una marina en el período de la dinastía Qin (221-206 a. C.), y sobre la base de la excavación de un astillero en Guangzhou, la actividad marítima era bastante sofisticada a principios de la dinastía Han (201 a. C.-220 d. C.). La costa del mar de la China Meridional parece haber sido la extensión del comercio marítimo de los primeros tiempos de China. Los mercaderes chinos navegaron hacia el océano Índico desde finales del siglo II a. C. y se dice que llegaron hasta Etiopía. Los viajes hacia y desde la India eran comunes en el siglo VII, ya que los barcos chinos a menudo navegaban hacia el mar Rojo y subían por el río Éufrates en el actual Irak.

El mercantilismo marítimo chino cambió en el siglo XV durante el período de las exploraciones de Zheng He, que dirigió siete expediciones al océano Índico bajo las órdenes del emperador Yongle, el tercer emperador de la dinastía Ming. Los viajes de Zheng He fueron a bordo de barcos más grandes que los construidos en China. Algunas de sus embarcaciones, que fueron hechas para llevar el tesoro de vuelta a China, pueden haber medido hasta 400 pies de largo y 170 pies de ancho. En su primer viaje, que duró de 1405 a 1407, Zheng He llegó a Calcuta. En viajes posteriores, exploró hasta la costa de África. Las extrañas cosas que trajo a China, animales, arte y productos manufacturados, proporcionaron el impulso para el crecimiento de vastas empresas de comercio marítimo.

A raíz de los viajes de Zheng He, el comercio marítimo Oriente/Occidente entre China, Indochina, India, África y Persia se expandió hasta tal punto que reemplazó la ardua ruta terrestre de la Ruta de la Seda. Poco después de que Zheng He explorara las rutas marítimas hacia el Occidente, los europeos, principalmente los exploradores españoles y portugueses, se propusieron descubrir las rutas marítimas hacia el Oriente, donde sabían que se podían obtener mercancías buscadas en los mercados europeos. El marinero portugués Bartolomé Díaz, que vivió entre 1450 y 1500, llegó al cabo de Buena Esperanza y determinó que la costa oriental de África era accesible por barco.

Fue seguido por vasco da Gama, que vivió entre 1460 y 1524 y que rodeó la punta de África y llegó a la India. Al abrir el comercio marítimo hacia el Este, los europeos pudieron prescindir de los servicios de los intermediarios árabes. Esto condujo a la apertura de rutas comerciales más largas hacia el Lejano Oriente, incluyendo China y las islas del Pacífico.

Fue en la época de los descubrimientos (desde principios del siglo XV hasta mediados del siglo XVII) cuando las rutas comerciales alternativas entre Oriente y Occidente sustituyeron a la Ruta de la Seda. El transporte de mercancías por mar era mucho más barato y rápido que el transporte por tierra. También se podían transportar grandes cantidades de mercancías con mayor fiabilidad, ya que solo estaban sujetas a los peligros del mar, que eran mínimos en comparación con los peligros de los merodeadores y los codiciosos regímenes étnicos advenedizos que infestaban la Ruta de la Seda. La antigua Ruta de la Seda no cayó en un completo desuso, ya que el tradicional comercio intercomunitario sigue existiendo hasta el día de hoy.

# Vea más libros escritos por Captivating History

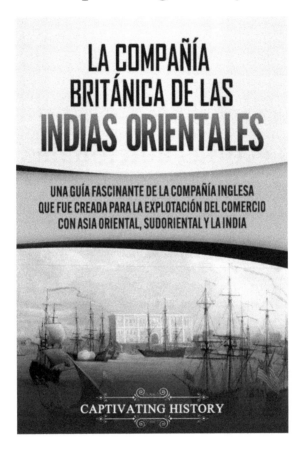

# Lecturas adicionales

Christopher Beckwith, *Imperios de la Ruta de la Seda: Una historia de Eurasia Central desde la Edad de Bronce hasta el presente* (Princeton: Prensa de la Universidad de Princeton).

Peter Hopkirk, *Demonios extranjeros en la Ruta de la Seda: La búsqueda de las ciudades perdidas y los tesoros del Asia Central China* (Londres: Murray, 1980).

John Man, *Gengis Kan: Vida, muerte y resurrección* (Nueva York: Libros Thomas Dunne).

Jonathan Clements, *Una breve historia de Khublai Khan: Lord de Xanadú, emperador de China* (Londres: Robinson, 2010).